Delaf & Dubuc

Les Nombrils

Un été trop mortel !

DUPUIS

À notre formidable éditeur, Benoît Fripiat,
sans qui Les Nombrils ne seraient pas.

Maryse et Marc

Pour plein d'actus et de primeurs :
www.facebook.com/lesnombrils

DALIM SOFTWARE
Powered by

PEFC-Certifié
Ce livre est issu de forêts gérées durablement, de sources recyclées et contrôlées.
PEFC
PEFC/07-31-241
www.pefc.org

Couleurs : Delaf, Dubuc et Ben BK
Aide aux décors pages 36 à 50 : Pascal Colpron

Dépôt légal : octobre 2013 — D.2013/0089/038
ISBN 978-2-8001-5716-0

Imprimé en Belgique.

www.dupuis.com

Résumé des épisodes précédents

KARINE A CHANGÉ DE LOOK ET D'ATTITUDE. AU GRAND DAM DE JENNY ET VICKY, ELLE N'EST PLUS LA BONNE POIRE QUI LEUR OBÉISSAIT AU DOIGT ET À L'ŒIL.

COMMENT ÇA, TU RAMÈNES PLUS LA BALLE ?
KARINE, AU PIED ! FAIS LA BELLE ! DONNE LA PATTE !
PFFT !

ELLE A AUSSI PRIS LA DÉCISION DE REPOUSSER DAN DE SA VIE. ELLE NE PEUT LUI PARDONNER DE L'AVOIR ABANDONNÉE POUR CETTE GARCE DE MÉLANIE.

... ET DONC TOUT ÇA POUR TE DIRE QUE JE T'AIME ET QUE JE TE SUPPLIE DE M'OFFRIR UNE SECONDE CHANCE...
?
TU M'AS PARLÉ ?
MATHS

L'ARCHITECTE DE SA NOUVELLE VIE S'APPELLE ALBIN. RAPIDEMENT, IL L'INVITE À SE JOINDRE À SON GROUPE DE MUSIQUE "ALBIN ET LES ALBINOS". POUR KARINE, CETTE MARQUE DE CONFIANCE REPRÉSENTE BEAUCOUP.

VOILÀ, TU ES L'UNE DES NÔTRES, MAINTENANT.
SI ÇA C'EST PAS UNE SECTE, JE VEUX BIEN ÉPOUSER LE DÉPRESSIF !

PERSUADÉS QU'ALBIN N'EST PAS BLANC COMME NEIGE, VICKY ET DAN FOUILLENT SON PASSÉ. ILS DÉCOUVRENT QU'IL FUT ACCUSÉ D'AVOIR BRÛLÉ VIFS 19 ENFANTS DE SA CLASSE POUR SOI-DISANT « FAIRE UN MONDE MEILLEUR ».

APRÈS AVOIR LU ÇA, ELLE NE VOUDRA PLUS JAMAIS LE VOIR !
Un jeune de 11 ans assassine ses camarades de classe
archives
archives
archives

MAIS ALBIN PROUVE FACILEMENT SON INNOCENCE ET LE PLAN DE VICKY ET DAN SE RETOURNE CONTRE EUX.

DEHORS ! JE VEUX PLUS JAMAIS VOUS VOIR !
Le drame de la classe de neige
Le présumé incendiaire blanchi
Archives personnelles

KARINE TENTE D'OUBLIER DAN, MAIS C'EST LUI QUI EST LÀ POUR LA RÉCONFORTER LE JOUR OÙ ELLE APPREND QUE SON ENNEMIE JURÉE, MÉLANIE, S'EST JETÉE DU HAUT DU PONT SUITE À SES CONSEILS.

TU N'AS RIEN À TE REPROCHER ...
ALLEZ, EMBRASSE-LE, C'EST LUI QUE TU AIMES, PAS ALB... AÏE !
NON ! L'ÉCOUTE PAS ! PENSE À SA BARBICHETTE ET À SA CHEMISE RIDICULE ! BEEEERK !
TAP !

SENTANT QUE KARINE RISQUE DE RETOURNER VERS SON ANCIEN AMOUREUX, ALBIN RUSE ET SE DÉBROUILLE POUR L'ÉLOIGNER DE FAÇON DÉFINITIVE : DAN S'ENVOLE POUR NEW YORK.

ET CONSIDÈRE-TOI CHANCEUX QUE MA TACTIQUE TE PERMETTE D'ACCUMULER DES *AIR MILES* !

PENDANT CE TEMPS, MÉLANIE REPREND CONSCIENCE À L'HÔPITAL. ELLE N'A PAS TENTÉ DE SE SUICIDER, ON L'A POUSSÉE. INCAPABLE D'IDENTIFIER SON AGRESSEUR, ELLE RÉENTEND CEPENDANT SA VOIX LUGUBRE QUI LUI DIT...

... « JE VEUX FAIRE UN MONDE MEILLEUR »...

ALBIN SE FÉLICITE : DÉBARRASSÉE DE DAN, JENNY ET VICKY, KARINE POURRA ENFIN S'ÉPANOUIR. MAIS CONTRE TOUTE ATTENTE, CELLE-CI PARDONNE À SES AMIES, AU GRAND DÉSESPOIR D'ALBIN, QUI CROYAIT AVOIR RÉUSSI À CONSTRUIRE POUR ELLE UN MONDE MEILLEUR.

JE VAIS DEVOIR TOUT RECOMMENCER, ON DIRAIT...
SAUF QUE CETTE FOIS, JE NE METTRAI PAS DE GANTS BLANCS.

UNE BOULE OU DEUX BOULES ?
BAH... COMME ÇA T'INSPIRE...

VOILÀ ! DEUX JOLIES BOULES...
HIHI ! MERCI ! AU FAIT, JE M'APPELLE CAROLINE...
Salut mon mignon...

SERS-MOI CE QUI T'INSPIRE...
TOUT DE SUITE !
TSS ! FAUT SURTOUT PAS TE GÊNER !

VOILÀ ! C'EST LA MAISON QUI OFFRE !
COOL !

MAIS C'EST PAS JUSTE ! REGARDE CE QUE TU LUI SERS !
POUR TOI, ÇA FERA 4,50 $.
HA HA !

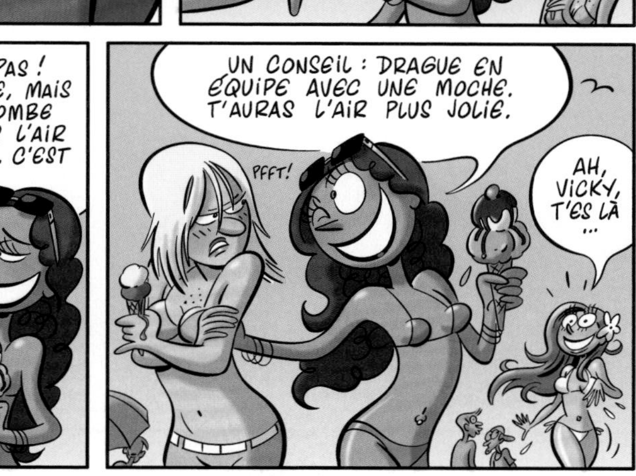
VOUS ÊTES TOUS PAREILS ! Y A QUE LE PHYSIQUE QUI COMPTE !
ALLEZ, PLEURE PAS ! T'ES PAS SI VILAINE, MAIS À CÔTÉ D'UNE BOMBE COMME MOI, T'AS L'AIR D'UN CHOU-FLEUR. C'EST LA LOI DE LA RELATIVITÉ.
C'EST PAS DE MOI, C'EST D'EINSTEIN.
UN CONSEIL : DRAGUE EN ÉQUIPE AVEC UNE MOCHE. T'AURAS L'AIR PLUS JOLIE.
PFFT !
AH, VICKY, T'ES LÀ...

HÉ HÉ !
WOAH ! UNE CRÈME GLACÉE ! C'EST PAS BÊTE, IL FAIT SI CHAUD...

ALORS JE VAIS PRENDRE...
CADÔ !
!

TU VIENS, VICKY ? ON VA DRAGUER LES BEAUX MECS !
HÉ HÉ !

ALLÔ, KARINE ?... TU AS DES PLANS POUR L'ÉTÉ ?...

Delaf-Dubuc

ALLEZ, KARINE, RAMÈNE-TOI, IL Y A PLEIN DE BEAUX MÂLES, ICI !...
J'EN VOIS MÊME UN QUI EST EN PLEIN TON GENRE...
GRAT GRAT

ÉCOUTE, VICKY, JE RISQUE DE NE PAS ÊTRE TRÈS DISPONIBLE CET ÉTÉ. ON FAIT DE GROS EFFORTS AVEC LE GROUPE POUR PERCER, ET...
BON. JE VOIS À QUOI TU VEUX JOUER. RAMÈNE-TOI ET JE TE PRÊTE MES BOUCLES D'OREILLES EN OR QUE TU AIMES TANT.

C'EST PAS ÇA, VICKY...
BON, O.K. !
TU AS GAGNÉ, JE TE LES DONNE ! ÇA VA COMME ÇA ?

JE PEUX PAS VENIR, JE TE DIS. ON A RENDEZ-VOUS CE SOIR AVEC UN PRODUCTEUR DE DISQUES. TU TE RENDS COMPTE ? ON VA PEUT-ÊTRE FAIRE UN ALBUM !!
C'EST MON COLLIER DE PERLES QUE TU VEUX, C'EST ÇA ?

POURQUOI TU DEMANDES PAS À JENNY ? JE SUIS SÛRE QUE ÇA LUI FERAIT SUPER PLAISIR DE DRAGUER À LA PLAGE AVEC TOI.
PFFT ! TU CONNAIS JENNY : ELLE REFUSE DE DRAGUER AVEC MOI, ELLE SUPPORTE PAS D'ÊTRE DEUXIÈME...

TU VIENS, KARINE ?
IL FAUT QUE J'Y AILLE, VICKY. ON SE RAPPELLE. CIAO !
KARINE, ATTENDS, JE T'INTERDIS DE...
BUP-BUP-BUP-BUP-BUP-BUP-
... RACCROCHER.

ALLEZ, C'EST PAS GRAVE, CE N'EST PAS LA SEULE MOCHE AU MONDE !
EH, MACHIN ! C'EST TON JOUR DE CHANCE !
?
Séduire à coup sûr

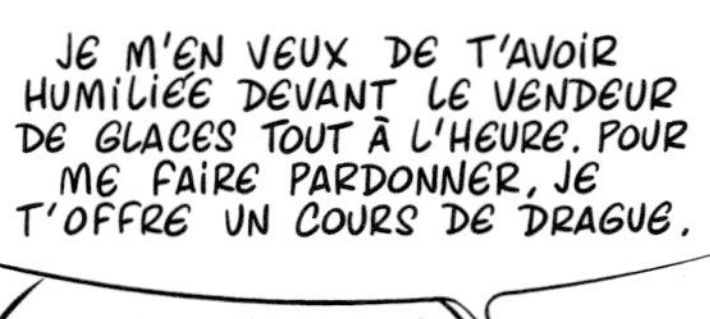
JE M'EN VEUX DE T'AVOIR HUMILIÉE DEVANT LE VENDEUR DE GLACES TOUT À L'HEURE. POUR ME FAIRE PARDONNER, JE T'OFFRE UN COURS DE DRAGUE.

OUAIS, C'EST ÇA ! ET SPIDER-MAN C'EST MA GRAND-MÈRE !

T'AS JUSTE BESOIN DE MOI POUR TE METTRE EN VALEUR !
N'IMPORTE QUOI ! JE FAIS ÇA POUR TOI, PAR PURE PITIÉ ! YOUHOU, LES GARS !
EH, T'AS VU LA JOLIE BRUNE ?
?

Y A PAS UN DE VOUS DEUX QUI SERAIT INTÉRESSÉ PAR MON AMIE ?
TON AMIE, J'SAIS PAS, MAIS TOI...
ON N'EST PAS AMIES. ELLE DRAGUE AVEC MOI CAR ELLE EN A MARRE D'ÊTRE COMPARÉE À SA COPINE...

... LA BOMBE ATOMIQUE ROUSSE, LÀ-BAS.
HEIN ?! OÙ ÇA ??
LÀ ! JE LA VOIS !
CLANG !

TOUT BIEN RÉFLÉCHI, JE VEUX BIEN FAIRE ÉQUIPE AVEC TOI !

Delaf-Dubuc

CE QUI ME PLAÎT, C'EST VOTRE MESSAGE : CINQ EX-VICTIMES QUI AFFRONTENT LES PROJECTEURS POUR DÉNONCER LES INTIMIDATEURS.
POURQUOI ? C'EST UN THÈME QUI VOUS TOUCHE ?
NON, MAIS Y A DU FRIC À FAIRE AVEC ÇA !

J'AI ADORÉ VOTRE DÉMO, SAUF QUE NORMALEMENT, JE SIGNE RIEN AVANT D'AVOIR VU LES ARTISTES EN SPECTACLE...
VOUS SAVEZ, NOTRE DERNIER CONCERT A ÉTÉ UN RÉEL SUCCÈS. TOUT LE MONDE A ADORÉ !
J'AI UN BON FEELING, JE VEUX BIEN VOUS CROIRE.

ALLEZ, ON RÈGLE LA PAPERASSE, PUIS JE VOUS EMMÈNE MANGER POUR CÉLÉBRER...
EH, LES ALBINOS ! J'AI VU VOTRE DERNIER CONCERT ET FRANCHEMENT, C'ÉTAIT PAS TERRIBLE !

TIENS, APPAREMMENT, TOUT LE MONDE N'A PAS ADORÉ...
L'EXCEPTION QUI CONFIRME LA RÈGLE !
HA HA ! ...

T'AS VU ? C'EST LE GROUPE NUL DE L'AUTRE SOIR...
TSS ! DIRE QU'ON A PAYÉ POUR LES SUBIR !

OUI, EUH... ALLEZ ! SEULEMENT TROIS MAUVAISES CRITIQUES AU COURS D'UNE CARRIÈRE. QUEL AUTRE GROUPE PEUT SE VANTER DE ÇA ?
HMM ...

REGARDEZ : "ALBIN ET SES LOSERS" !
LE SHOW LE PLUS POURRI QUE J'AIE VU DE MA VIE !
RAH ! J'ESSAYAIS D'OUBLIER CE MAUVAIS SOUVENIR !
MOI JE ME SUIS FAIT REMBOURSER !
MOI AUSSI, MAIS ILS N'ONT PAS VOULU PAYER POUR MES SÉQUELLES PSYCHOLOGIQUES.
IL FAUT LANCER UN RECOURS COLLECTIF !
PASSONS VITE, ÇA PUE !

201

C'EST UN PLAISIR DE FAIRE AFFAIRE AVEC VOUS, LES FILLES !
SUIVANT !
attendez derrière la ligne
EH ! POUSSE PAS !
KARINE, C'EST MOI. JE SAIS QUE TU AVAIS CE REPAS AVEC UN PRODUCTEUR CE SOIR, MAIS SI JAMAIS C'EST ANNULÉ, NOTRE INVITATION POUR SORTIR EN BOÎTE TIENT TOUJOURS...

Delaf-Dubuc

JENNY ET VICKY ICI ? ... MAIS BIEN SÛÛÛÛÛR !
TAP !
J'AURAIS DÛ M'EN DOUTER !
T'AURAIS PAS VOULU VENIR SI JE TE L'AVAIS DIT. ALLEZ, DÉTENDS-TOI, OUBLIE CETTE HISTOIRE AVEC LE PRODUCTEUR.

IL FAUT QUE VOUS FASSIEZ PLUS AMPLE CONNAISSANCE. TU VERRAS, ELLES NE SONT PAS SI TERRIBLES !
ET MOI JE PEUX TE PROUVER LE CONTRAIRE EN TROIS MINUTES.
TSS ! SOIS PAS DE MAUVAISE FOI !

KARINE ? MAIS... T'AS AMENÉ TA BANDE DE LOSERS ?
FAITES UN EFFORT, LES FILLES. JE VEUX DISSIPER LES TENSIONS ENTRE VOUS.
LES TENSIONS ? QUELLES TENSIONS ? ON SE CONNAÎT BIEN ...
EH ! SALUT LES ALBATROS !
BIP !
C'EST LES ALBINOS.

AU FAIT, POURQUOI "ALBIN ET LES ALBINOS" ALORS QU'IL N'Y A QU'UN SEUL ALBINOS ? VOUS ÊTES SI NULS EN MATHS ?
C'EST UNE IMAGE, VICKY.
COMME MOI, CHACUN DES MEMBRES EN A PAS MAL BAVÉ ÉTANT JEUNE. LE NOM DU GROUPE EST UNE RÉFÉRENCE À NOTRE PASSÉ DIFFICILE.
UN PASSÉ DIFFICILE ? RACONTEZ ! J'ADORE LES HISTOIRES TRISTES QUAND JE N'EN FAIS PAS PARTIE !

BEN... IMAGINEZ LE PIRE. MULTIPLIEZ PAR MILLE. C'EST MON HISTOIRE.
QUELLE HORREUR ! T'AS COUCHÉ MILLE FOIS AVEC LE DÉPRESSIF ?!

MOI JE M'HABILLAIS DÉJÀ COMME ÇA À QUATORZE ANS. UN JOUR, DES GARS M'ONT DÉFONCÉ LA GUEULE ET LAISSÉ POUR MORT DANS UNE BENNE À ORDURES. ILS TROUVAIENT QUE J'AVAIS L'AIR TAPETTE.

JE CONFIRME.

ALBIN, LUI ON LE SAIT TOUS : C'EST LE CROISEMENT ENTRE UN HUMAIN ET UN LAPIN BLANC. MAIS TOI, EUH... ?
VINKO.
OH ! PAUVRE CHOU ! AVEC UN NOM AUSSI NUL, ÇA N'A PAS DÛ ÊTRE FACILE...

EN FAIT, MON PASSÉ DIFFICILE, C'EST SURTOUT ÇA.
GLPS ! AH OUAIS, C'EST VRAI ...

EN TOUT CAS, LE COUP DES CHEVEUX, ÇA EN JETTE À FOND ! SI C'ÉTAIT PAS AUSSI MOCHE, J'AIMERAIS BIEN AVOIR LA MÊME CHOSE POUR FRIMER.
MERCI. TROP SYMPA.
DE RIEN. JE LE PENSE VRAIMENT.

ET TOI, KARINE, T'ES LA SEULE À NE PAS AVOIR DE PASSÉ DE VICTIME ?
EUH ...
AVANT, ELLE SE LAISSAIT FACILEMENT MANIPULER...

202

... ALORS QUE MAINTENANT, ÇA DOIT ÊTRE DUR DE LUI FAIRE FAIRE CE QUE VOUS VOULEZ, HEIN, JENNY ?
PFIOU !
À QUI LE DIS-TU !

PAR EXEMPLE, JUSTE POUR PASSER LA SOIRÉE AVEC ELLE, ON A DÛ MONTER TOUT UN COUP POUR SABOTER VOTRE RENCONTRE AVEC LE PRODUCTAÏE !
TA GUEULE !
QUOI ?!
BI-BIP !
TROIS MINUTES !

ON A EU UN PASSÉ TRÈS DIFFICILE...
?

Delaf - Dubuc

ALBIN, C'EST VICKY. JE SAIS QUE TU MONTES KARINE CONTRE NOUS. RAPPELLE-MOI POUR QU'ON DISCUTE CALMEMENT D'UNE FAÇON DE S'ENTENDRE DANS LE RESPECT MUTUEL.

JUSTE UN DERNIER MOT : T'ES VRAIMENT LE PLUS GRAND SALOPARD QU'ON CONNAISSE !
!
ALLEZ, CIAO !

EXCELLENTE, L'IDÉE DU RESPECT ! J'AI HÂTE DE VOIR SI ÇA VA MARCH... AÏE !
TAP !
T'ES PAYÉE POUR FAIRE FOIRER MES PLANS OU QUOI ?!

TIENS, JUSTEMENT LA FILLE QUI ME DOIT UN BISOU PARCE QUE J'AI FAIT SES DEVOIRS D'ANGLAIS TOUTE L'ANNÉE...
?

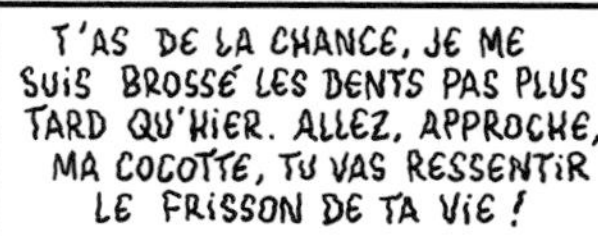
T'AS DE LA CHANCE, JE ME SUIS BROSSÉ LES DENTS PAS PLUS TARD QU'HIER. ALLEZ, APPROCHE, MA COCOTTE, TU VAS RESSENTIR LE FRISSON DE TA VIE !

HAHA ! QUEL CULOT ! JE TE GIFLERAIS BIEN, MAIS J'OSE PAS IMAGINER MA MAIN APRÈS.

ET PUIS D'ABORD, SACHE QUE MÊME SI TU FAISAIS MES DEVOIRS POUR LES 3 PROCHAINES RÉINCARNATIONS, ÇA NE MÉRITERAIT PAS UN BISOU DE MA PART.

COMME TU VEUX. T'EXPLIQUERAS ÇA À TES VIEUX...

LE DIS PAS À MES PARENTS ! MON ÉTÉ EST FOUTU, SINON !
JE TIENDRAI MA LANGUE SI TU METS LA TIENNE DANS MA BOUCHE.

LAISSE, VICKY, JE VAIS LE FAIRE, MOI.
!
TOI ?! MAIS... C'EST CENT FOIS MIEUX !!!

JENNY, TU ES SÛRE QUE TU VEUX FAIRE ÇA ?
JE TE LE DOIS BIEN... JE FAIS TOUJOURS FOIRER TES PLANS.
RESTE PLUS QU'À TROUVER UN COIN TRÈS TRÈS TRÈS SOMBRE...

JENNY ! MON HÉROÏNE ! VA PRENDRE UNE DOUCHE ET VIENS DANS MES BRAS !

203

DÉSOLÉE, J'AI ABANDONNÉ APRÈS AVOIR DÉGOBILLÉ TROIS FOIS...
QUOI ?! MAIS... IL VA ALLER TOUT RACONTER À MES PARENTS !
BAH... PEUT-ÊTRE QU'IL BLUFFE...
TU VEUX RIRE ? CE TYPE EST LE PLUS GRAND SALOPARD DE LA GALAXIE !

AH OUAIS, LA BOURDE ! PARDON, J'AVAIS PAS RÉALISÉ.
T'EN FAIS PAS, JE VAIS IMMÉDIATEMENT RÉPARER MON ERREUR !
OUF ! MERCI, JENNY ! T'ES VRAIMENT UNE COPINE !

OUI, ALBIN ?... JE M'EXCUSE POUR TOUT À L'HEURE... EN FAIT, TU ES LE DEUXIÈME PLUS GRAND SALOPARD QU'ON CONNAISSE !

Delaf - Dubuc

DÉSOLÉ, LES GARS, LE PRODUCTEUR NE RETOURNE PLUS MES APPELS. ON VA DEVOIR FAIRE NOTRE DEUIL DE CE PROJET D'ALBUM.
TSS!
MERDE!
RAAAH!

'CHIER!!
CRACK
ZLOÏNGKX!

TOUT ÇA À CAUSE DE CES DEUX STUPIDES BIMBOS QUI SE REMONTENT LE STRING JUSQU'AUX OREILLES!
C'ÉTAIT MA GUITARE. TU ME DOIS 400 $.

MOI QUI CROYAIS QU'ON AVAIT ENFIN RÉUSSI.
ADIEU LA CÉLÉBRITÉ, L'ARGENT ET LES FILLES FACILES!

KARINE DOIT METTRE FIN À SA RELATION AVEC JENNY ET VICKY. IL FAUT QUE TU LUI PARLES, ALBIN.
CROIS-MOI, KARINE S'EN VEUT À MORT. JE LUI AI DIT CE QUE JE PENSAIS DE SES AMIES. SURTOUT DE VICKY, LE CERVEAU DU DUO.

MAIS KARINE, C'EST MÈRE TERESA VERSION GOTHIQUE. C'EST PEINE PERDUE : ELLE FINIRA PAR PARDONNER À VICKY.
ET TÔT OU TARD, VICKY RECOMMENCERA.

DANS CE CAS, TU DOIS ROMPRE AVEC KARINE. LES AMIES DE TA COPINE NE VONT PAS DÉCIDER DE NOTRE CARRIÈRE!
HORS DE QUESTION.
LE PROBLÈME, C'EST PAS KARINE, C'EST VICKY.

JE NE VOIS QU'UNE SOLUTION...
LAQUELLE?

ÉLIMINER VICKY.

B Z Z Z Z Z Z Z Z Z Z Z Z Z Z Z Z Z Z Z

207

HAHAHA! DÉCRISPEZ-VOUS, C'EST UNE BLAGUE!
JE ME DISAIS AUSSI...
SACRÉ ALBIN!
HA HA HA!

LAISSEZ-MOI GÉRER ÇA, JE TROUVERAI BIEN UNE IDÉE.

N'EMPÊCHE, CE SERAIT TOUT DE MÊME LA SOLUTION LA PLUS SÛRE...

Delaf-Dubuc

Pour mon père, l'anglais ça a toujours été hyper important.
C'EST LA LANGUE DE L'AVENIR, UN OUTIL INDISPENSABLE POUR FAIRE AVANCER SA CARRIÈRE.
ALORS DORÉNAVANT, JE TE PARLERAI EN ANGLAIS ET TU ME RÉPONDRAS EN ANGLAIS.

SI BA BO...
BLBLL...
ÇA C'EST DE L'ITALIEN, VICKY. EN ANGLAIS, J'AI DIT !

C'est pourquoi, toute jeune, mes parents m'ont inscrite à un camp estival d'immersion anglaise.
SUMMER CAMP
SO COOL !
ALLEZ, TU VAS T'AMUSER, BOUBOULE. REGARDE L'AFFICHE !
M'APPELLE PAS BOUBOULE !
BOUBOULE !
KRMPF !
HURRY UP! WE'LL MISS OUR FLIGHT TO HAWAII !

Bon, c'est pas que le camp d'anglais manquait d'attraits, mais... un peu, quand même !
WHO'S THE SUMMER CAMP FOOL ?
IT'S BOUBOULE * !
* QUI EST L'IMBÉCILE DU CAMP ? C'EST BOUBOULE !

Quand l'année suivante, mes parents m'ont annoncé qu'ils m'avaient réinscrite, ce fut la deuxième pire nouvelle de l'été. La première étant...
SUMMER CAMP
SO COOL !
ELLE DISAIT AVOIR DÉTESTÉ, MAIS ON VOIT BIEN, LÀ, QU'ELLE S'EST AMUSÉE !
BAH, VOUS SAVEZ, AUJOURD'HUI, AVEC PHOTOSHOP...
DADDY ! BORA BORA WON'T WAIT !

Avec le recul, je réalise que mon premier été n'était pas si horrible que ça, finalement...
WHO'S THE SUMMER CAMP'S FOOL ?
IT'S BOUBOULE !
She's fat !
HA HA HA HA HA HA HA

Le supplice s'est poursuivi pendant des années, malgré un régime draconien.
PAPA, JURE-MOI QUE J'Y RETOURNERAI JAMAIS !
ÇA DÉPENDRA DE TES RÉSULTATS SCOLAIRES.
MAIS PARLE-MOI ENCORE UNE FOIS EN FRANÇAIS ET C'EST L'ABONNEMENT À VIE !
SUMMER CAMP
SO COOL
SEE YA, BOUBOULE !

Pour être certaine de ne pas y retourner cette année, j'ai fait un truc irréfléchi...
AND MURPHY'S GOT 100 % ONCE AGAIN.
C'EST PAS JUSTE, IL EST BILINGUE !
IL A VRAIMENT TOUT POUR LUI, CE GARÇON !
HA HA HA HA
EH, PSST !

Je me doutais que son aide me coûterait cher, mais quel autre choix j'avais ?
JE LE RÉPÈTE : JE DIRAI RIEN À TES PARENTS SI TU M'EMBRASSES.
LAISSE-MOI Y PENSER DISONS... 25 ANS. ET D'ICI LÀ, TU FAIS PLEIN DE MUSCU ET TU TROUVES UN BON CHIRURGIEN PLASTIQUE...
DEAL ?
JE TE LAISSE 24 HEURES.

Plutôt mourir que de faire ça ! D'un autre côté, plutôt mourir que de retourner au camp. Et comme je ne veux pas mourir, je suis piégée !
...
À MOINS QUE...

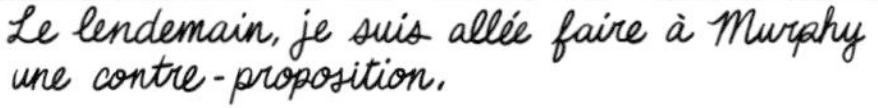
204

Le lendemain, je suis allée faire à Murphy une contre-proposition.
J'AI BIEN RÉFLÉCHI ET J'ACCEPTE DE T'EMBRASSER, MAIS SUR LA JOUE...
ARGH !

Finalement, j'ai préféré négocier de lui suçoter les orteils.
GARGLLLLGLLLL...
DézinFex
ARCHI PROP
PROPRO MAX

Delaf - Dubuc

TIENS, NOS NOUVEAUX VOISINS QUI DÉBARQUENT ...
VENDU
OUAIP : DEUX GROS BOURGES ET UNE ADO QUI PENSE QUE C'EST HALLOWEEN. QUELLE CHANCE !

T'ÉTAIS PAS À LA PLAGE AVEC MISS POPULARITÉ, TOI ?
PFF ! MARRE DE JENNY.

JE PENSE PLUTÔT QUE T'EN AS MARRE DE SES DEUX GROS AIMANTS QUI ATTIRENT TOUS LES MECS.
J'AI AUTANT LA COTE QU'ELLE, TU SAURAS. J'AI QU'À CLAQUER DES DOIGTS POUR QUE LES GARÇONS ME TOMBENT DANS LES BRAS.
SNAP !

ALORS T'AS PAS DÛ CLAQUER SOUVENT DES DOIGTS DEPUIS EUH... LE JOUR DE TA NAISSANCE, EN FAIT.
J'ATTENDS, C'EST TOUT.
T'ATTENDS QUOI ?

LE MEC IDÉAL...
SALUT LES FILLES. JE SUIS JAMES, VOTRE NOUVEAU VOISIN.
!

VOUS PERMETTEZ QUE JE GARE MA PORSCHE ICI LE TEMPS QUE LE CAMION LIBÈRE NOTRE ENTRÉE ?
205

BIEN SÛR ! TU PEUX MÊME TE GARER DANS MA CHAMBRE, SI TU VEUX...
HAHA !... MERCI, C'EST SYMPA.

PLEASE, PLEASE, PLEASE, REBECCA ! LAISSE-LE-MOI ! C'EST L'HOMME QUE J'AI ATTENDU TOUTE MA VIE !
T'AS QU'À CLAQUER DES DOIGTS PUISQUE ÇA MARCHE SI BIEN !
MOI JE VAIS TENTER LE COUP DES AIMANTS ...

Delaf - Dubuc

LE VOISIN T'A DIT QUE SON FILS A ÉTÉ ACCEPTÉ À LA FAC DE DROIT ?
QUEL BON PARTI ! LA FILLE QUI METTRA LE GRAPPIN DESSUS SERA COMBLÉE !
VOUS PARLEZ DE JAMES ? JE VIENS DE LE CROISER ET... JE CROIS QUE JE LUI FAIS DE L'EFFET !

PFFT ! UN EFFET VOMITIF, TU VEUX DIRE...
HAHA ! J'Y PENSE, IL SERAIT PARFAIT POUR TOI, REBECCA.
MOUAIS, PEUT-ÊTRE...

VICKYYY, LÂCHE ÇA ! LES MANGEURS ÉMOTIONNELS DOIVENT ÉVITER LA NOURRITURE LORSQU'ILS SONT CONTRARIÉS !
LAISSE-LA FAIRE, J'AIMERAIS TANT REVOIR BOUBOULE !

JAMES POURRAIT TRÈS BIEN S'INTÉRESSER À UNE FILLE COMME MOI !
C'EST BIEN D'AVOIR DES RÊVES ...
BAH... SI ÇA L'AMUSE DE SE RIDICULISER, ELLE PEUT TOUJOURS ESSAYER.

ELLE N'EN AURA MÊME PAS L'OCCASION PUISQU'ELLE VA PASSER L'ÉTÉ AU CAMP D'ANGLAIS.
EH BIEN JE VAIS VOUS MONTRER DE QUOI JE SUIS CAPABLE...
?
WHAT ?

TON CAMARADE EST VENU TE DÉNONCER. ON SAIT QUE TU AS COPIÉ TOUS TES DEVOIRS D'ANGLAIS.
UN ÉTÉ D'IMMERSION TE REMETTRA À NIVEAU. TU COMMENCES LUNDI MATIN.
C'EST IMPOSSIBLE, JE... JE LUI AI SUÇOTÉ LES ORTEILS...

MURPHY, ESPÈCE DE SALOPARD ! TU AVAIS JURÉ DE RIEN DIRE !
HÉHÉ ! VOILÀ CE QU'IL EN COÛTE QUAND ON REFUSE DE M'EMBRASSER SUR LA BOUCHE.

MAMAN, PITIÉ ! PAS LE CAMP ! JE JURE QUE JE LE FERAI PLUS !
LE PROBLÈME, CE N'EST PAS QUE TU AIES TRICHÉ. CE QUI NOUS DÉRANGE, C'EST QUE TU TE SOIS FAIT PRENDRE.

VA MÉDITER ÇA DANS TA CHAMBRE.
HAHA ! LOSER !
BON, ON VA PEUT-ÊTRE Y ALLER, NOUS.

206

À TON AVIS, MON TAILLEUR DIOR NE FAIT PAS TROP VULGAIRE POUR UNE PREMIÈRE VISITE CHEZ NOS VOISINS ?
NE LES SURESTIME PAS, KATE. LEUR MERCEDES DATE DE L'AN DERNIER !

WILL, TU PEUX PRENDRE LA TARTE SUR LE COMPTOIR ?
SUR LE COMPTOIR ? JE LA VOIS PAS...

VICKYYY !!

Delaf - Dubuc

acebook.com/dan
acebook
Trouvez des personnes, des
Dan
+1 Ajouter
Habite à New York
Homme
3 en commun
À propos
Amis 134
Photos 14
Vous connaissez Dan ? Si vous connaissez Dan, inv

GLPS...
+1 Ajouter

PILIBILI-PILIBILI...
!

JE TE DÉRANGE ?
NON, NON, PAS DU TOUT !
TU GLANDOUILLAIS SUR INTERNET ?

COMMENT TU SAIS ÇA ?!
TES PARENTS LAISSENT TOUJOURS LA TÉLÉ ALLUMÉE DANS LE SALON. COMME JE L'ENTENDS PAS, J'EN DÉDUIS QUE TU ES DANS TA CHAMBRE.
ALORS JE ME DIS QUE TU DOIS LIRE, ÉCOUTER DE LA MUSIQUE OU GLANDOUILLER SUR LE NET.

TRÈS FORT ! ET COMMENT T'AS DÉDUIT QUE J'ÉTAIS SUR INTERNET ?
TU AS DIT : « NON, NON, PAS DU TOUT ! » COMME SI TU VOULAIS SOULIGNER LA FUTILITÉ DE TON ACTIVITÉ. ET GLANDOUILLER SUR LE NET ME SEMBLE ÊTRE LE CHOIX LE PLUS FUTILE.

BON... JE VAIS FAIRE GAFFE À CE QUE JE DIS, TU POURRAIS PERCER MES PETITS SECRETS !
AH, AH ! ALORS TU ES SUR FACEBOOK !
!

T'AS PLANQUÉ DES CAMÉRAS DANS MA CHAMBRE, OU QUOI ?!
NON, C'EST JUSTE QUE TU AS DIT QUE TU AVAIS DES SECRETS...
JE BLAGUAIS !

SOUVENT, UNE BLAGUE SERT À DISSIMULER UN MALAISE. ET DERRIÈRE CHAQUE BLAGUE SE CACHE UNE VÉRITÉ.
J'EN DÉDUIS QUE TU AS VRAIMENT UN TRUC À ME CACHER.
...
ET LE LIEN AVEC FACEBOOK ?

LA LISTE DES CHOSES QUE TU POURRAIS VOULOIR FAIRE SUR INTERNET SANS QUE JE LE SACHE EST ASSEZ COURTE...
LES SITES COCHONS, C'EST PAS TON STYLE, DONC J'EN DÉDUIS QUE TU VEUX ME CACHER UNE RELATION.
!
CLAP !

C'EST BIEN QUI JE PENSE ?
JE TE JURE, JE REGARDAIS SEULEMENT SA PHOTO DE PROFIL... ON N'EST MÊME PAS AMIS FACEBOOK !...
MMH...

208

JE VEUX PAS TE DICTER QUOI FAIRE, KARINE. MAIS TU SAIS CE QUE JE PENSE DE VICKY...
DE... VICKY ?!
EUH... JE... OUI, TU AS RAISON, JE DEVRAIS ME TENIR LOIN D'ELLE.
JE SUIS RAVI DE TE L'ENTENDRE DIRE.

AU FAIT, JE T'APPELAIS POUR TE DIRE QUE LA RÉPÉTITION DE DEMAIN DÉBUTERA UNE HEURE PLUS TÔT.
SUPER.
À DEMAIN, BISOUS.
BISOUS.
CLIC

PFIOOOOOU !

ELLE S'APPRÊTAIT À ENVOYER UNE DEMANDE D'AMITIÉ À DAN.
T'EN FAIS PAS, ELLE VA FINIR PAR L'OUBLIER.

Delaf - Dubuc

TU ES MINEURE, MÉGANE ! IL FALLAIT NOUS LE DEMANDER AVANT DE TE FAIRE TATOUER !
PFT !
À QUOI BON, VOUS AURIEZ DIT NON !

RENTRE QU'ON EN DISCUTE EN PRIVÉ. LES VOISINS POURRAIENT NOUS ENTENDRE.
ÉCOUTE, J'EN AI ASSEZ QUE TU ME DISES COMMENT RESPIRER. JE FAIS CE QUE JE VEUX !

PARLE-MOI SUR UN AUTRE TON, OU JE TE FLANQUE UNE FESSÉE !
HOOOU ! J'AI PEUUUR !

OH ! ET PUIS FAIS DONC CE QUE TU VEUX ! APRÈS TOUT, JE M'EN FOUS !
CLAC
WOUAH !

VICKY, AU LIT ! IL EST PRESQUE 21 h 00...

... ET TU DOIS TE LEVER TÔT DEMAIN POUR TON PREMIER JOUR AU CAMP D'ANGLAIS.
GLPS !

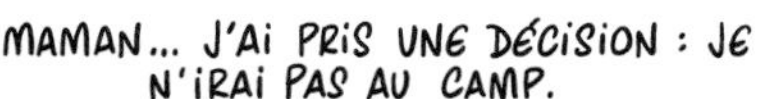
MAMAN... J'AI PRIS UNE DÉCISION : JE N'IRAI PAS AU CAMP.

HAHA ! C'EST DRÔLE, J'AI CRU ENTENDRE QUE TU N'IRAIS PAS AU CAMP !... TU PEUX RÉPÉTER ?

ÉCOUTE, J'EN AI ASSEZ QUE TU ME DISES COMMENT RESPIRER. JE FAIS CE QUE JE VEUX !
!

TOI, TU ME PARLES SUR UN AUTRE TON, OU C'EST LA FESSÉE !
HOOOU... J'AI HU-HUM PEUR !

211

PEUT-ÊTRE QUE JE FERAIS PLUS CRÉDIBLE AVEC DES TATOUAGES...

Delaf - Dubuc

QUE JE VIENNE PASSER L'ÉTÉ AVEC TOI AU CAMP D'ANGLAIS ?
MAIS OUI, CE SERA SUPER ! BON, LES INSCRIPTIONS SONT TERMINÉES, MAIS TU ES TELLEMENT NULLE EN ANGLAIS, C'EST SÛR QU'ILS AURONT PITIÉ.

JE SAIS PAS TROP, VICKY... JE SUIS BIEN, ICI, À LA PLAGE...
SI JE VEUX ENCORE DU CHAMPAGNE ? ALLEZ, JUSTE UNE LARME.
OUI, EXCUSE-MOI, JENNY, CET ENDROIT EST TROP GÉNIAL. TU DISAIS ?

TU T'AMUSES TANT QUE ÇA ?
T'IMAGINES MÊME PAS.

POUR TOUT TE DIRE, IL Y A UN MEC QUI ME PLAÎT VRAIMENT BIEN ICI. IL EST MAÎTRE NAGEUR.
BON, IL S'APPELLE JEAN-FRANKY, MAIS À PART ÇA, IL EST PARFAIT !
HA ! T'AS PAS VU CELUI QU'IL Y A ICI ! IL EST MONITEUR. TU HALLUCINERAIS !

IL PEUT PAS ÊTRE AUSSI BIEN QUE LE MIEN, IMPOSSIBLE ! AAAH, SI TU LE VOYAIS DANS SON SHORT MOULANT !
TSS ! T'AS PAS VU LE SHORT DU MIEN ! PLUS MOULANT, C'EST L'HOSPITALISATION !

ET SES CHEVEUX ! ILS SONT SI BEAUX QU'ON DIRAIT DES FILS D'OR. MAIS BRUNS. C'EST **INCROYABLE !**
SI TU VOYAIS LES CHEVEUX DE MON MONITEUR, TU COMPRENDRAIS LE VÉRITABLE SENS DU MOT "INCROYABLE" !

AH OUAIS ? ÉCOUTE ÇA : LE MIEN, TIENS-TOI BIEN, C'EST LE SOSIE D'UNE VEDETTE HYPER-CONNUE !
ALORS, TOUJOURS VIVANTE ?
PFF ! LE MIEN AUSSI !

O.K., ARRÊTE, VICKY, JE SUIS PAS SI CONNE. TU DIS TOUT PAREIL COMME MOI PARCE QUE TU VEUX QUE J'AILLE GÂCHER MON ÉTÉ AVEC TOI AU CAMP D'ANGLAIS.
C'EST PAS JUSTE ! TU METS MA PAROLE EN DOUTE JUSTE PARCE QUE JE T'AI DÉJÀ MENTI PLEIN DE FOIS !
JE DIS LA VÉRITÉ, JE TE JURE !
209

D'ACCORD, ALORS JUSTE UNE QUESTION : MON MEC, C'EST LE SOSIE DE CHRIS DARYL. LE TIEN, C'EST LE SOSIE DE QUI ?
C'EST LE SOSIE DE... EUH... BEN...
HUM !
JE NE RETROUVE PLUS SON NOM, MAIS IL EST SUPER MÉGA CONNU.

OUAIS, C'EST ÇA ! BIEN ESSAYÉ, VICKY, MAIS C'EST RATÉ. TON SOI-DISANT MONITEUR N'EXISTE PAS. BYE.
CLIC

LE NOM QUE TU CHERCHAIS, CE SERAIT PAS TOM CRUISE ?
SUMMER CAMP

Delaf - Dubuc

SI T'EXISTERAIS PAS, JE SORTIRAIS SÛREMENT AVEC UNE AUTRE BOMBASSE DANS TON STYLE, MAIS CE SERAIT PAS PAREIL.
OOOH, JEAN-FRANKY !
JEAN-FRANKY, C'EST VRAIMENT LE MEC PARFAIT. IL SAIT TROP BIEN PARLER AUX FILLES !

ÉVIDEMMENT, LES AUTRES SONT FOLLES DE JALOUSIE. ELLES INVENTENT N'IMPORTE QUOI POUR ATTIRER SON ATTENTION.
L'EMBARCATION DE MON AMI A CHAVIRÉ, FAITES QUELQUE CHOSE ! VITE !
1) ON DIT BONJOUR. ET 2) PERSONNE T'A APPRIS À DIRE S'IL VOUS PLAÎT ?
S'COURS ! GLUBUB !

AU FOND, JE LES COMPRENDS. LES SOSIES DE VEDETTE, ÇA COURT PAS LES RUES !
POURVU QU'IL S'EN SORTE !
T'INQUIÈTE, C'EST UN TRÈS BON NAGEUR.

MAIS JE NE SUIS PAS SI SUPERFICIELLE : SA RESSEMBLANCE AVEC CHRIS DARYL N'EST PAS LA SEULE RAISON POUR LAQUELLE JE SORS AVEC LUI. EN FAIT, IL Y EN A SIX AUTRES.

LA PREMIÈRE FOIS QUE JE L'AI VU, J'AI TOUT DE SUITE SU QU'ON ÉTAIT FAITS L'UN POUR L'AUTRE.
SE MARIER ? TU PENSES PAS QUE C'EST UN PEU TÔT ?
PAS DU TOUT, JE SUIS SÛRE QUE TU ES L'HOMME DE MA V... !
WAOUH ! LAISSE TOMBER, J'AI TROUVÉ MILLE FOIS MIEUX !
CLING !

DEPUIS, ON PASSE PRESQUE TOUT NOTRE TEMPS À S'EMBRASSER. ENTRE NOUS, C'EST TROP LA PASSION !
Fodrè k jeu piss
Atan ! Encor 3h51 é on ba not recor !

210

ET PUIS EN PLUS D'ÊTRE BEAU COMME UN COEUR, C'EST VRAIMENT LE GENRE DE GARS SUR QUI ON PEUT COMPTER.
ÇA FAIT SI LONGTEMPS QUE JE RÊVE DE FAIRE ÇA !
Chris Daryl
COUNT ON ME

ON POURRAIT PENSER QUE NOTRE RELATION EST PUREMENT PHYSIQUE, MAIS C'EST FAUX.
ET VOILÀ, C'EST ARRANGÉ...

CAR SUR LE PLAN INTELLECTUEL, ON CONNECTE AUSSI À MORT !
... J'AI REMIS L'EMBARCATION DU BON CÔTÉ !
BRAVO, T'ES LE MEILLEUR !
MAIS... MAIS...

Delaf - Dubuc

VICKY, J'ESPÈRE QUE TU AS UNE BONNE RAISON POUR M'APPELER AUSSI TÔT UN SAMEDI MATIN...
BAH, OUI...

... JE SAVAIS QUE TU N'AIMERAIS PAS QUE JE VIENNE TE RÉVEILLER SANS PRÉVENIR AVANT !
ALLEZ, ENFILE ÇA, JE T'EMMÈNE À LA PLAGE !
SPLAT !
!

ET REGARDE CE QUE JE T'AI APPORTÉ : MON CHAPEAU PRÉFÉRÉ, MES LUNETTES EN COEUR (JE SAIS QUE TU LES ADORES), MON PARÉO QUE TU TROUVAIS SI BEAU...
TU VAS ÊTRE LA STAR DE LA PLAGE, MA GRANDE !
ET SI PAS, JE T'AI AMENÉ DES SUDOKUS POUR PASSER LE TEMPS.
SUDOKU

C'EST SUPER GENTIL, VICKY, MAIS AUJOURD'HUI, J'AVAIS PRÉVU DE...
T-T-T ! AUJOURD'HUI, MOI ET TOI, ON S'AMUSE ! DEMAIN, QUAND JE SERAI DE RETOUR AU CAMP POUR LA SEMAINE, TU AURAS TOUT LE LOISIR DE T'EMMERDER !

VICKY, J'AI DES PLANS AVEC ALBIN. C'EST MON AMOUREUX, IL...
ALBIN, TON AMOUREUX ?! ALLONS, TU L'AIMES PAS VRAIMENT. TU T'ACCROCHES JUSTE À LUI POUR SURVIVRE À TA RUPTURE AVEC DAN.
QUOI ?!

TU ES QUI POUR JUGER ? TU SAIS MÊME PAS CE QUE C'EST AIMER !
VOYONS, KARINE ! JE SUIS À L'AMOUR CE QU'EINSTEIN EST À LA SCIENCE, CE QUE PICASSO EST À L'ART, CE QUE BEYONCÉ EST À LA MUSIQUE !
TAP TAP !

AH OUAIS ? DÉCRIS-MOI CE QUE ÇA FAIT D'ÊTRE AMOUREUSE.
BEN... ÇA FAIT ...
EUH ...
PLEIN DE TRUCS COMME... EUH...

LE BÉGAIEMENT, LES JOUES QUI ROUGISSENT, LE COEUR QUI BAT LA CHAMADE...
CE SONT LES SYMPTÔMES DE L'AMOUR. SI UN JOUR TU LES RESSENS, VIENS ME VOIR : ÇA VOUDRA DIRE QUE TU AS UN COEUR !
...

214

POUR L'INSTANT, JE DOIS DONNER RAISON À ALBIN : TU N'AIMES QUE TOI-MÊME !
O.K., RESTE AVEC TON BONHOMME DE NEIGE ! DE TOUTE FAÇON, J'AI PAS BESOIN DE TOI !
SUDOKU

J'AI PLEIN D'AUTRES COPINES AVEC QUI M'ÉCLATER LES WEEK-ENDS !
CLAC !

MERCI D'AVOIR PENSÉ À MOI, VICKY. EN PLUS, J'ADORE LES SUDOKUS !
VIVEMENT LUNDI !
SUDOKU

Delaf-Dubuc

LAISSE ÇA, DAVID. JE M'EN CHARGE.
?

QUELQUES HEURES PLUS TÔT...
TIP TIP TIP TIP ...

À : Vicky
De : Karine
Je regrette ce que je t'ai dit. Mes paroles ont dépassé ma pensée. On reste copines ?
Envoyer
TIP!
SHHHHH...

LE PRODUCTEUR ACCEPTE DE NOUS DONNER UNE SECONDE CHANCE !!
QUOI ?! C'EST PAS VRAI !!

IL VIENDRA À NOTRE PROCHAIN CONCERT !
IL NE NOUS RESTE QU'À LUI MONTRER DE QUOI ON EST CAPABLES, ET À NOUS LE CONTRAT DE DISQUE !

C'EST DANS LA POCHE, KARINE ! ... SURTOUT MAINTENANT QUE TU AS PRIS TES DISTANCES AVEC VICKY : ON NE RISQUE PLUS RIEN !
HA HA ! OUAIS...

1
JE REVIENS DANS UNE MINUTE !...
FROTTE FROTTE

De : Vicky
À : Karine
Ton message me fait vraiment plaisir ! On se voit samedi prochain ? :)
AÏE !

De : Karine
À : Vicky
Huhu ! T'as vraiment cru que j'étais Karine ? C'est moi, David, son frère !! Je t'ai bien eue, hein ? :P

ATTENDS, JE VAIS TE REFAIRE LE PORTRAIT, PETIT CRÉTIN PRÉPUBÈRE !

218
QU'EST-CE QUI SE PASSE ? T'AS UN TRUC À TE FAIRE PARDONNER ?
NON, NON, JE VOIS PAS POURQUOI TU DIS ÇA...
Delaf - Dubuc

UN MENU CHEESEBURGER, S.V.P. MAIS SANS LES FRITES NI LA BOISSON.
QUE LE CHEESE-BURGER, ALORS ?
SNACK BAR
OUI, MAIS SANS LE PAIN, LA VIANDE ET LE FROMAGE. QUE LA FEUILLE DE LAITUE. JE SUIS AU RÉGIME.
O.K. ÇA FERA 8,50$.
BURP

JENNY ?!
AH, HUGO...
EH ! TU TE SOUVIENS DE MON NOM !
FACILE, ÇA RIME AVEC "GROS".

TU SAIS, JE M'EN VEUX ENCORE TERRIBLEMENT DE M'ÊTRE FAIT PIQUER LA CAPSULE GAGNANTE. JE T'AVAIS PROMIS DE T'EMMENER À L.A. VOIR CHRIS DARYL ET...*
OH, ÇA VA, JE TE COMPRENDS. MOI-MÊME JE T'EN VEUX ENCORE TERRIBLEMENT.
* VOIR T.4 : DUEL DE BELLES.

EN FAIT, MA VIE A COMMENCÉ À BASCULER LE JOUR OÙ C'EST ARRIVÉ...
MA CAPSULE ÉTAIT LÀ, COACH ! ILS ONT SCIÉ MON CADENAS !
FOCUS SUR LE POSITIF, GARS. DIS-TOI QUE CELUI QUI TE L'A PIQUÉE RENDRA SA CHÉRIE FOLLE DE JOIE.
BULLS
23

J'AI CRU DEVENIR FOU ! JE NE DORMAIS PLUS, JE NE MANGEAIS PLUS. J'AI PERDU TOUS MES AMIS À FORCE DE LES SUSPECTER.
BANDE DE VOLEURS !
???

JE ME SUIS MÊME MIS À DOS MA PROPRE FAMILLE.
SALE HYPOCRITE !
HUGO ! NE PARLE PAS COMME ÇA À TA GRAND-MÈRE !

DIEU SEUL SAIT QUI EST L'ENFOIRÉ QUI M'A PRIVÉ DE CE BEAU VOYAGE AVEC TOI...
OUAIP : DIEU SEUL LE SAIT !
HIIIIIII ! IL EST TROP BEAU !!

PAUVRE TOI ! JE SAVAIS PAS QUE TU EN AVAIS AUTANT BAVÉ. J'EN PARLERAI SUR MON BLOG hugoestunegrossemerde.com.
AH, C'EST HEU... SYMPA.
ÇA ME FAIT PLAISIR.

213

ALLEZ, JE TE LAISSE. IL FAUDRAIT PAS QU'ON ME VOIE TROP LONGTEMPS PARLER AVEC UN OBÈSE, TU COMPRENDS ?
BIEN SÛR ! ALLEZ, RANGE TES SOUS, C'EST MOI QUI INVITE.
OH, C'EST GENTIL !

DANS CE CAS, RAJOUTE-MOI UN MENU DOUBLE CHEESE POUR MON COPAIN !

ELLE EST GÉNIALE, NON ?
LES MECS SONT DES IMBÉCILES !

Delaf - Dubuc

VICKY? QUE ME VAUT LE DÉSAGRÉMENT DE TA VISITE?
J'AI UN PETIT CADEAU POUR TOI.

DE L'ASPIRINE? POUR QUOI FAIRE?
OH, ÇA, C'EST POUR CALMER LA DOULEUR.
?
KRRR

ET ÇA, C'EST POUR AVOIR DIT À KARINE QUE JE N'AIME QUE MOI-MÊME!
PAF!

ALLEZ! QUAND TON OEIL AU BEURRE NOIR APPARAÎTRA, N'OUBLIE PAS DE LUI DIRE QUI EST SA MAMAN!

C'EST TOUT? J'AI DROIT À RIEN POUR T'AVOIR ENVOYÉE PASSER L'ÉTÉ AU CAMP D'ANGLAIS?
!
QUOI?!

EH OUI! C'EST MOI QUI T'AI DÉNONCÉE!
TOI? MAIS... COMMENT TU?...
HAHA! JENNY EST PARFAITE POUR LAISSER UN MESSAGE D'INJURES SUR MA BOÎTE VOCALE... MAIS UN PEU MOINS HABILE POUR RACCROCHER!

LE DIS PAS À MES PARENTS! MON ÉTÉ EST FOUTU SINON!
BOÎTE VOCALE D'ALBIN QUI ENREGISTRE TOUJOURS.
MEC RÉPUGNANT, MAIS INNOCENT.
IDIOTE QUI NE PERD RIEN POUR ATTENDRE.

ARGH! JE VAIS TE RÉDUIRE EN PUDDING À LA VANILLE!
HAHA! JE LIS DANS TES YEUX UN MÉLANGE DE COLÈRE ET DE SURPRISE. TU NE ME CROYAIS PAS CAPABLE D'UNE CHOSE PAREILLE!
TU COMMENCES À COMPRENDRE QUE J'AI ENTREPRIS DE T'ÉLIMINER DE LA VIE DE KARINE.
!

MAINTENANT TU ES INQUIÈTE. TU TE DEMANDES : JUSQU'OÙ EST-IL PRÊT À ALLER? ET QUAND IL DIT "ÉLIMINER", VEUT-IL DIRE "ÉLIMINER"?

C'EST ALORS QUE L'INQUIÉTUDE SE TRANSFORME EN PEUR. TU COMMENCES À PENSER QUE JE SUIS PEUT-ÊTRE DANGEREUX, MAIS TU N'EN ES PAS CERTAINE...

215

ALORS MOI JE TE RÉPONDS :
REVOIS ENCORE KARINE ET TU LE SAURAS.
GLPS!

CLAC CLAC CLAC CLAC CLAC CLAC ...

C'EST POUR UN ÉCHANGE.. JE VOUDRAIS PLUTÔT UN MÉDICAMENT POUR LES NERFS..
?

Delaf-Dubuc

DING DONG!

EUH... BONSOIR. JE PEUX VOUS AIDER ?
C'EST MOI, IDIOTE !

VICKY ? MAIS... POURQUOI T'ES DÉGUISÉE EN VIEUX PERVERS ?
JE SUIS PAS DÉGUISÉE EN VIEUX PERVERS, MAIS EN COLPORTEUR. C'EST POUR ÉVITER QU'ALBIN ME RECONNAISSE.
IL EST PAS CHEZ TOI, J'ESPÈRE ?
NON, POURQUOI ?

IL M'A MENACÉE, KARINE ! SI JE TE REVOIS, IL DIT QU'IL VA ME TUER !
QUOI ? QU'EST-CE QUE TU INVENTES ENCORE ?

J'INVENTE RIEN, CROIS-MOI ! ALBIN EST UN MALADE, IL FAUT QUE TU TE TIENNES LOIN DE LUI !
VICKY, JE T'AIME BEAU-COUP, TU LE SAIS. MAIS TU DOIS ARRÊTER TES TACTIQUES POUR NOUS SÉPARER.

JE TE JURE SUR NOTRE AMITIÉ QUE C'EST VRAI.
VICKY, ARRÊTE D'EN RAJOUTER.
TU ME CROIS PAS ?
NON.

BON. J'AI FAIT CE QUE J'AI PU. JE T'AURAI AVERTIE. IL NE ME RESTE PLUS QU'À SORTIR DE TA VIE.
VICKYYYY... ATTENDS ! POURQUOI T'ES TOUJOURS SI INTENSE ?

!
DAVID
03

EH TOI ! LAISSE MA SOEUR TRANQUILLE !
C'EST JUSTEMENT CE QUE J'ALLAIS FAIRE. KARINE, DIS À TON BABOUIN DE SE CALMER !

TU CONNAIS CE VIEUX PERVERS ?
COLPORTEUR. JE SUIS UN COLPORTEUR.
ALLEZ, VICKY, MONTRE-LUI...
225

J'ENTENDS DES BRUITS DEHORS... JETTE UN OEIL POUR ÊTRE SÛR QUE LES ENFANTS VONT BIEN...
TSS ! MÈRE POULE, VA !

TU T'EN FAIS ENCORE POUR RIEN !!

VIEUX PERVERS !
EUH... EN FAIT...
... C'EST PLUTÔT UN COLPORTEUR ...
Delaf - Dubuc

Supprimer Karine des contacts ?
Supprimer
Annuler
CLIC
OUI !

SUMMER CAMP
RULES
SEXY
Si KARINE REFUSE DE CROIRE QU'ALBIN M'A MENACÉE, ALORS C'EST FINI ENTRE NOUS !
À PARTIR DE MAINTENANT, MES AMIES, JE LES TRIERAI SUR LE VOLET. FINI DE M'INVESTIR DANS DES AMITIÉS DOUTEUSES.

MAMAN T'ORDONNE DE TE DÉBARRASSER DE MOI, ET TOI, TU LUI OBÉIS COMME UN CHIEN !
?

ELLE A BESOIN D'UNE PAUSE. TU ES EN TRAIN DE LA RENDRE FOLLE, MÉGANE.
C'EST ÇA : WOUF WOUF WOUF !
SUMMER CAMP
SUMMER CAMP

IL PARAÎT QU'IL EST TRÈS BIEN, CE CAMP. MÊME LA FILLE DES VOISINS LE FRÉQUENTE.
ET TU CROIS QUE J'EN AI QUELQUE CHOSE À SECOUER, MOI, DE LA BARBIE D'EN FACE ?!

ALLEZ, SOIS SAGE, JE REPASSE TE PRENDRE VENDREDI.
VAS-Y, RETOURNE CHEZ TON MAÎTRE, FIDO !

TSS !
SUMMER CAMP
TAP TAP TAP

216

TU SAIS CE QU'ELLE TE DIT, LA VOISINE D'EN FACE ? EH BEN ELLE PRÉFÈRE AVOIR L'AIR D'UNE BARBIE QUE D'UN LIVRE À COLORIER !

WOW ! T'ES PLUS WILD QUE T'EN AS L'AIR.
VA TE FAIRE VOIR !

COOL ! JE CROIS QUE JE VIENS DE ME FAIRE UNE NOUVELLE COPINE !
ALORS... NOUVEAU CONTACT : MÉGANE...
TIP TIP TIP...

Delaf-Dubuc

8,50$?! COMMENT ÇA ? JENNY DIT QUE C'EST GRATUIT ICI !
SNAC
DÉSOLÉ, MAIS TES PECTORAUX SONT MOINS PERSUASIFS QUE LES SIENS !

PFF ! SI J'AURAIS SU...
"SI J'AVAIS SU". LES "SI" MANGENT LES "RAIS".

TSS ! MON PÈRE DISAIT ÇA AUSSI. TOUTE MON ENFANCE, J'AI EU LA PÉTOCHE QUE SA SCIE ME BOUFFE LE CUL !
« LES SCIES MANGENT LES RAIES »... SI TU CROIS ENCORE À ÇA, T'ES VRAIMENT UN BÉBÉ !

PFF ! PFF !... COUCOU CHÉRI !
SALUT CHÉRITE ! ...
?
C'EST POUR QUOI LA VALISE ?
JE VEUX QUE TU M'EMMÈNES À LAS VEGAS... POUR QU'ON SE MARIE !

SE MARIER ?! ATTENDS, TU ME DEMANDES DE RENONCER À TOUTES LES AUTRES FILLES ?
BAH, OUAIS ! ET MOI JE RENONCE AUX AUTRES GARS.
MAIS... C'EST SUPER INJUSTE !

JE T'OFFRE 6 ABDOS À AIMER ALORS QUE TOI T'AS QUE 2 NÉNÉS. MATHÉMATIQUEMENT, ÇA ME DONNE LE DROIT DE SORTIR AVEC...
ATTENDS ...
TIP TIP TIP TIP TIP TIP TIP TIP TIP TIP TIP TIP TIP TIP TIP
...

...4 FILLES EN MÊME TEMPS !

ALLEZ, OUBLIE CETTE IDÉE RIDICULE. JE RETOURNE AU BOULOT. ON SE VOIT PLUS TARD. CIAO !
CIAO ...

BOUHOU HOUHOU ...
OOH... PLEURE PAS, JENNY. CE TYPE EST UN CRÉTIN. TU MÉRITES MIEUX QUE LUI !
JE SAIS !

...MAIS C'EST SI DUR DE TROUVER UN 10 ! ALORS JE ME CONTENTE D'UN 9,9.
TU RÉALISES PAS TA CHANCE : TU ES UN 2, VOUS ÊTES DES MILLIARDS DANS TA CATÉGORIE !

219

ALLEZ, SI TU VEUX, JE TE RACCOMPAGNE CHEZ TOI. JE TE PRÉPARERAI UN BON CHOCOLAT ET TU POURRAS PLEURER SUR MON ÉPAULE.
TU ES GENTIL, MAIS C'EST IMPOSSIBLE : TU ES BEAUCOUP TROP MOCHE. SI ON NOUS VOIT ENSEMBLE, MA RÉPUTATION SERA DÉTRUITE !

JE COMPRENDS.
...
À MOINS QUE...

C'EST LA PIRE JOURNÉE DE MA VIE !
C'EST LA PLUS BELLE JOURNÉE DE MA VIE !

Delaf-Dubuc

O.K., TU PEUX SORTIR, Y A PERSONNE QUI REGARDE.
?!
TU... TU HABITES ICI ?!

EH OUI, C'EST MON PETIT CHEZ-MOI !
JENNA, JE SUIS LÀ !
AH ! ENFIN ! ...
OUIIIN OUIIIN ...

J'EN PEUX PLUS, PRENDS-LE UN P... !
C'EST QUOI, ÇA ?! DEPUIS QUAND TU RAMÈNES DES 2 À LA MAISON ?
AH, LUI... C'EST PERSONNE. IL ME PRÊTE JUSTE SON ÉPAULE POUR PLEURER.
OUIIIN !
SALUT

PLEURER ? COMMENT ÇA ?
BAH... C'EST JEAN-FRANKY. IL VEUT PAS M'ÉPOUSER.
OOOOH... ET TOI QUI VENAIS JUSTE DE VOLER UNE JOLIE ROBE POUR L'OCCASION !
JE SAIS, C'EST DUR !

TA SOEUR N'EST PAS UN PEU JEUNE POUR GARDER UN BÉBÉ TOUTE SEULE ?
T'INQUIÈTE, ELLE EST PAS SEULE. MA MÈRE EST JUSTE LÀ...
...SOUS TON PIED.

SOUS MON... ?!
AAÏÏÏE !
GAFFE OÙ TU MARCHES, 'SPÈCE DE CONNARD !

OUIN OUIIN !
ALLEZ, VIENS DANS TON LIT, MAMAN.
MGLMNLM... TOUS DES ...FOIRÉS...

220

JE... JE PEUX AIDER ?
AH, T'ES GENTIL ! REMPLIS LE BIBERON DU BÉBÉ, S.T.P.

T'AS PAS DU LAIT, PLUTÔT ?
NON, C'EST TOUT CE QU'IL NOUS RESTE. MAIS C'EST PAS GRAVE, ÇA VA MIEUX POUR LUI FAIRE FAIRE SON ROT.

FINALEMENT, JE ME SENS MIEUX... J'AURAI PEUT-ÊTRE PAS BESOIN DE TON ÉPAULE...
?
HUGO ? ÇA VA PAS ?
PAUVRE JENNY !

C'EST TELLEMENT TRISTE ! BOUHOU HOOU...
ALLONS, C'EST PAS SI GRAVE ! J'AURAI BIEN D'AUTRES OCCASIONS DE PORTER MA ROBE...
TAP TAP

Delaf-Dubuc

LUNDI
O.K. EVERYBODY. PLEASE PAIR UP FOR THIS WEEK'S ACTIVITIES*.
BARBIE! I CHOOSE BARBIE!
HIHI! ELLE L'A APPELÉE BARBIE!
C'EST VRAI QUE ÇA LUI VA BIEN!
JE SENS QU'ELLE VA BIEN M'ÉNERVER, CELLE-LÀ...
* FORMEZ DES ÉQUIPES DE DEUX POUR LES ACTIVITÉS DE CETTE SEMAINE.

MARDI
JE ME SUIS TOUJOURS MOQUÉE DES FILLES QUI S'ASPERGENT DE PARFUM. MAINTENANT JE DIS : RESPECT !
ÇA Y EST, ELLE M'ÉNERVE.
BZZZZZZZZ

MERCREDI
TU TE MAQUILLES POUR TE BAIGNER ?
HAHA ! TU ESPÈRES QUOI ? SÉDUIRE UN BROCHET ?
MAIS QU'EST-CE QU'ELLE M'ÉNERVE !

JEUDI
HAHA ! JE SENS QUE "TALONS HAUTS SUR PONT DE CORDE" VA FAIRE UN MALHEUR SUR FACEBOOK !

TU M'ÉNEEERVES !!! FAUDRA ME SUPPLIER À GENOUX POUR QU'UN JOUR JE REFASSE ÉQUIPE AVEC TOI !
RASSURE-TOI, JE DÉGAGE CE SOIR. J'AI CONVAINCU MES VIEUX DE ME SORTIR DU CAMP.
!
QUOI ?
MAIS... TU PEUX PAS ME FAIRE ÇA ! T'ES LA SEULE DE MON ÂGE ! RESTE, JE T'EN SUPPLIIIIIE...
HAHA ! GÂCHE PAS TON MASCARA, BARBIE ! JE TE FAIS MARCHER !
221

VENDREDI
LE STRING QUI SORT DU PANTALON, C'EST UN PARI QUE T'AS PERDU OU TU PENSES QUE ÇA FAIT COOL ?
ELLE M'ÉNEEEERVE ...
Delaf-Dubuc

SUMMER CAMP
SO COOL!
ET SI TU PASSAIS À LA MAISON, CE WEEK-END ?
OUAIS, GÉNIAL. COMME ÇA, TU POURRAS M'ÉNERVER 7 JOURS SUR 7 !

ALLEZ, MES VIEUX NE SERONT PAS LÀ. IL N'Y AURA QUE MOI ET MON FRÈRE.
JAMES SERA LÀ ?

S'TE PLAÎT, DIS OUI ! ME LAISSE PAS SEULE AVEC CE CRÉTIN !
DIS OUI, DIS OUI, DIS OUI, DIS OUI ...

C'EST COOL QUE T'AIES DIT OUI !
BAH, COMME ÇA ON APPRENDRA À MIEUX SE CONNAÎTRE.

« MIEUX SE CONNAÎTRE »... O.K., D'ACCORD !
BLA BLA BLA BLA
BLA BLA BLA BLA...

...PLACE-TOI PLUTÔT COMME CECI...
HI HI !
VOUS PRÉFÉREZ QUE JE M'EN AILLE OU QUE JE VOUS LAISSE SEULS ?

TU AS DES ÉTOILES DANS LES YEUX.
C'EST PARCE QU'ILS REFLÈTENT TA CHAÎNE EN OR.
ÇA VA ? VOUS MANQUEZ DE RIEN ? BOISSONS, CHIPS, CAPOTES ?...

ON POURRAIT SE REVOIR DEMAIN DANS UN CADRE PLUS... INTIME ?
BIEN SÛR ! JE T'INVITE À DÎNER. JE PASSE TE PRENDRE À 19H00.
TU PENSES TE PENDRE À 19H00 ? QUELLE BONNE NOUVELLE !

J'Y AI RÉFLÉCHI TOUTE LA NUIT, ET ÇA NE FAIT AUCUN DOUTE : TU ES LA FEMME DE MA VIE !
OH, JAMES ! T'AS MIS DU TEMPS À LE RÉALISER, MAIS JE TE PARDONNE, VU LA TAILLE DU CAILLOU !

222

JE VIENS VOUS DEMANDER LA MAIN DE VOTRE FILLE...
OOOOH ! JE SUIS SI FIÈRE DE TOI, VICKY !
PRENDS LA MAIN ET TOUT CE QUE TU VEUX, MON GARS !

VICKY, ACCEPTEZ-VOUS DE PRENDRE POUR ÉPOUX JAMES, ICI PRÉSENT...

OUI, JE LE VEUX !
?

Delaf-Dubuc

T'ES EN BEAUTÉ, AUJOURD'HUI, VICKY !
OH, JAMES ! TU VAS ME FAIRE ROUGIR !

COUCOU, VOISIN !
EH, SALUT VOISINE !
C'EST FOU, JE PENSAIS JUSTEMENT À TOI !
♪ BABY OH BABY ♫ ...

HONNÊTEMENT, ÇA SE VOYAIT UN PEU DANS TA FAÇON DE CARESSER TA PORSCHE !
EN FAIT, JE ME DISAIS : WOW ! CETTE FILLE EST ARRIVÉE À SUPPORTER MA SOEUR UNE SEMAINE ENTIÈRE !
♫ YOU AND ME TONIGHT ...

PFT ! MOI, CE QUI M'ÉPATE, C'EST QU'ELLE SOIT ARRIVÉE À SUPPORTER TA MUSIQUE DÉBILE PLUS DE 30 SECONDES !
♪ YEAH YEAH BABY ...
ALLEZ, RESTE PAS LÀ, BARBIE, C'EST DANGEREUX POUR TA SANTÉ MENTALE !

♫ TOGETHER TONIGHT BABY OH YEAH ♫
MOI JE LA TROUVE SUPER, CETTE MUSIQUE ...
TU DIS ÇA POUR ÊTRE POLIE OU T'AS FUMÉ DU CRACK ?
ALLEZ, VIENS, ON VA DANS MA CHAMBRE.

POURQUOI ON RESTE PAS AVEC TON FRÈRE ? IL EST SYMPA...
MOUAIS...
...C'EST UN GROS NUL AVEC DES GOÛTS DE CHIOTTE. À PART ÇA, IL EST SYMPA.

DES GOÛTS DE CHIOTTE ? T'ES PLUTÔT SÉVÈRE POUR UNE FILLE QUI S'HABILLE AU RAYON DES ÉPOUVANTAILS !
J'AURAIS BIEN VOULU M'HABILLER AU RAYON DES GROSSES POUFFES, MAIS T'AVAIS TOUT DÉVALISÉ !

TU SAIS QUOI ? JE PRÉFÈRE MILLE FOIS SUPPORTER LA MUSIQUE DE TON FRÈRE QUE DE MOISIR DANS TA CHAMBRE !
COOL, VAS-Y ! VIS TON TRIP SADOMASO !

223

APRÈS, VIENS PAS PLEURER SI T'AS MAL AUX OREILLES ! JE T'AURAI PRÉVENUE !
TSS !

T'ES EN BEAUTÉ, AUJOURD'HUI, REBECCA !
OH, JAMES ! TU VAS ME FAIRE ROUGIR !
♫ OH YEAH, BABY, YEAH...

O.K., T'AS RAISON, IL A DES GOÛTS DE CHIOTTE.
T'AVAIS PRÉVENUE !

Delaf-Dubuc

SA COLLECTION DE FILMS : QUE DES BLOCKBUSTERS DÉBILES.
HULK VS TRANSFORMERS

SA BIBLIOTHÈQUE DU PARFAIT PETIT CAPITALISTE ...
COMMENT JE SUIS DEVENU MILLIONNAIRE
10 millions d'exemplaires vendus

AVEC SA SECTION SUR LE DROIT, PARCE QUE MONSIEUR A LE RÊVE ORIGINAL DE CRÉER SON CABINET D'AVOCATS.
COMME SON PAPA.
DÉFENDRE L'INDÉFENDABLE
(et s'en mettre plein les poches)

CÔTÉ MUSIQUE, C'EST TOUT AUSSI NAVRANT. LE TOP 50 RÈGNE EN MAÎTRE...
Cheesy FACTORY
It stinks!

VOILÀ, TU AS LE PORTRAIT DE MON FRÈRE. UN TYPE SANS PERSONNALITÉ. UN MOUTON QUI SUIT LE TROUPEAU.
N'EMPÊCHE... CE SERAIT LE GARS PARFAIT POUR MOI.
Porsche BOXTER

JAMES NE TE PLAÎT PAS À TOI, IL PLAÎT À TES VIEUX.
QUOI? MAIS... N'IMPORTE QUOI !

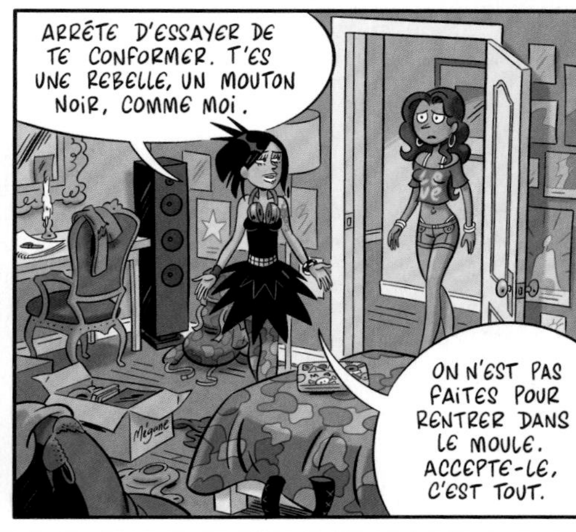
ARRÊTE D'ESSAYER DE TE CONFORMER. T'ES UNE REBELLE, UN MOUTON NOIR, COMME MOI.
ON N'EST PAS FAITES POUR RENTRER DANS LE MOULE. ACCEPTE-LE, C'EST TOUT.

T'ES UNE FILLE FANTASTIQUE, VICKY. JE L'AI VU TOUT DE SUITE.
TON SEUL PROBLÈME, C'EST QUE TU VEUX PLAIRE À TOUT LE MONDE. LAISSE LA VRAIE VICKY S'EXPRIMER.

ET COMMENT JE POURRAIS FAIRE ÇA ?
CESSE DE TE DÉGUISER EN PIÈGE À MECS, PAR EXEMPLE. REFAIS-TOI UNE GARDE-ROBE PLUS À TON IMAGE.
PFF...

SI TU VEUX, JE T'EMMÈNE FAIRE LES BOUTIQUES, DEMAIN.
T'OUBLIES LE CAMP D'ANGLAIS. DEMAIN C'EST LUNDI.
AH OUAIS, MERDE.

226

POURQUOI IL FAUT QUE NOS VIEUX NOUS ENVOIENT LÀ-BAS ?
PARCE QUE LEUR VIE EST RÉGIE PAR LA PENSÉE UNIQUE, ILS N'AIMENT PAS LES VOIX DISCORDANTES. ALORS ILS SE DÉBARRASSENT DE NOUS.
TIENS, J'AI UN CADEAU POUR TOI...

"LA DICTATURE DE LA PENSÉE UNIQUE" ?... WOW ! TU ME DONNES AUSSI LE FLINGUE POUR M'ACHEVER ?
PENSE CE QUE TU VEUX, MAIS SI NOS PARENTS AVAIENT LU ÇA AU LIEU DE REGARDER BEVERLY HILLS 90210, ON N'EN SERAIT PAS LÀ !

MAIS C'EST PAS MON ANNIVERSAIRE ...
J'AVAIS JUSTE ENVIE DE TE FAIRE UN CADEAU...
ET SI TU POUVAIS LE LIRE D'ICI DEMAIN, ÇA M'ARRANGERAIT.

Delaf - Dubuc

HUGO EST TRÈS CONTENT QUE TU AIES ACCEPTÉ SON INVITATION À DÎNER.
ON SAIT QUE CE N'EST PAS FACILE POUR TOI, EN CE MOMENT ...
BAH, VOUS EN FAITES PAS. MON COPAIN VIENT ME CHERCHER DANS UNE HEURE, MA SOIRÉE N'EST PAS COMPLÈTEMENT FOUTUE !

À TAAABLE !
OOOH ! DE LA NOURRITURE CHAUDE COMME AU RESTO ! C'EST ORIGINAL !
!!
TA MAMAN NE FAIT PAS CUIRE LES ALIMENTS ?

NON. DE TOUTE FAÇON, ON NE MANGE QUASI QUE DE LA PIZZA SURGELÉE.
MAIS... IL FAUT LA FAIRE CUIRE ! VOUS NE MANGEZ PAS DE LA PIZZA GLACÉE, QUAND MÊME ?
JUSTE QUAND ON A TROP FAIM. SINON ON ATTEND QU'ELLE DÉGÈLE.

C'EST QUOI ?
MON CLASSIQUE : SAUCISSES MAGIQUES ! JE LES FAIS MAISON AVEC DE LA VIANDE DE PREMIÈRE QUALITÉ.
PORC ?
NON, POULET.

MMH ! CH'EST BON ! MAIS EN QUOI ELLES CHONT MACHIQUES ?
AH, ÇA, C'EST PARCE QUE SI TU EN MANGES UNE, TU NE PEUX PLUS T'ARRÊTER !

MIAM ! JE PEUX EN AVOIR PLEIN D'AUTRES ?
HA HA
HA HA HA HA
HA HA

UNE HEURE PLUS TARD...
OUF ! J'AI TROP MANGÉ, MOI !
T'ES PAS OBLIGÉE DE FINIR, JENNY, SI T'AS PLUS FAIM...

MAIS IL PARAÎT QUE C'EST IMPOLI DE NE PAS MANGER TOUTE SON ASSIETTE QUAND ON EST INVITÉ CHEZ QUELQU'UN...
HAHAHA ! HUGO N'AVAIT PAS TORT, TU ES TRÈS AMUSANTE !
HA HA
HA HA

OH, IL FAUT QUE JE FILE, JEAN-FRANKY M'ATTEND DEHORS. LE TEMPS A PASSÉ SI VITE !
C'ÉTAIT UN VRAI PLAISIR DE TE RECEVOIR, MA BELLE !
REVIENS QUAND TU VEUX, TU ES LA BIENVENUE !
JE TE RACCOMPAGNE DEHORS.

224

APPELLE-MOI SI T'AS ENVIE QU'ON FASSE UN TRUC ENSEMBLE CETTE SEMAINE.
PROMIS ! DÈS QUE J'AI BESOIN D'UN BOUCHE-TROU, TU ES LE PREMIER SUR LA LISTE !

COUCOU CHÉRI ! REGARDE CE QUE HUGO M'A FAIT AVEC SA SAUCISSE MAGIQUE...
!

PORC !
NON, POULET...

Delaf-Dubuc

C'EST EXCITANT, TU TROUVES PAS ?
CHHHT !
MRGLMM ? ZZZ...
SUMM CAM

OUF ! T'AS FAILLI RÉVEILLER LE MONITEUR ! IL FAUDRAIT PAS QU'ON SE FASSE PRENDRE À BRAVER LE COUVRE-FEU !
DU CALME, BARBIE ! ON VA PAS MOURIR ! QU'EST-CE QU'ON RISQUE AU PIRE ? L'EXPULSION ?

MON PÈRE M'ARRACHERAIT LA TÊTE SI J'ÉTAIS RENVOYÉE... ALORS L'EXPULSION OU LA MORT, POUR MOI C'EST PAREIL !
ARRÊTE DE PENSER À TES PARENTS DEUX MINUTES.
ALLEZ, VIENS !

DIS, MÉG...
HMM ?

...TU LE PENSAIS VRAIMENT QUAND TU AS DIT QUE TU ME TROUVAIS FANTASTIQUE ?
BIEN SÛR ! ... MAIS POUR ÊTRE FRANCHE, C'EST PAS LA PREMIÈRE CHOSE À LAQUELLE J'AI PENSÉ EN TE VOYANT.
AH ? ET C'ÉTAIT QUOI ?

JE ME SUIS DIT QUE JE TE TROUVAIS INCROYABLEMENT SEXY !
HA HA ! QUOI ?!

ALLEEEEZ !... FAIS PAS CELLE QUI L'IGNORAIT !
IGNORAIT QUOI ?

À TON AVIS ?

227

MAIS QU'EST-CE QUE TU FOUS ? T'ES PAS BIEN ?!
PEUAH !
RELAX, MAX ! ME DIS PAS QUE TU TROUVES PAS ÇA AGRÉABLE...

TU ME PRENDS POUR QUI ? JE SUIS PAS COMME ÇA !
TU ME DÉGOÛTES ! JE VEUX PLUS JAMAIS TE VOIR !
ÇA RISQUE D'ÊTRE COMPLIQUÉ. ON EST COINCÉES AU CAMP ENSEMBLE, JE TE RAPPELLE.

ALLÔ, MAMAN ? TU PEUX DIRE À PAPA DE VENIR M'ARRACHER LA TÊTE ?...

Delaf - Dubuc

OÙ CROIS-TU ALLER, TOI ? JE TE RAPPELLE QUE TU ES PRIVÉE DE SORTIE JUSQU'À TES 18 ANS.
JE VAIS JUSTE DEHORS ÉCOUTER DE LA MUSIQUE.
HMM.

ELLE PÈTE PAS LA FORME, CES TEMPS-CI. JE LUI AI PEUT-ÊTRE CRIÉ DESSUS TROP FORT SUITE À SON EXPULSION DU CAMP...
MAIS NON. TU CULPABILISES PARCE QUE LE QUATRIÈME VOISIN A APPELÉ LA POLICE.

LAISSE-MOI TRANQUILLE !
CLAC !

REBECCA, ATTENDS...
VLAM

HOULÀ ! À CE QUE JE VOIS, C'EST LA MAUVAISE PÉRIODE DU MOIS !
NON, EN FAIT C'EST MA FAUTE...
J'AI REFUSÉ DE L'EMBRASSER ET... ELLE L'A MAL PRIS.

JE TE COMPRENDS ! EMBRASSER MA SOEUR DOIT ÊTRE AUSSI AGRÉABLE QUE DE LÉCHER UN VIEUX CENDRIER...
JE SAIS PAS, ON NE S'EST JAMAIS EMBRASSÉS. ON NE SORT PAS ENSEMBLE.

EN FAIT, ON EST TROP DIFFÉRENTS, ON N'A PAS DU TOUT LES MÊMES INTÉRÊTS.
TILT !

AH, ÇA !... C'EST VRAI QU'ELLE A DES GOÛTS BIZARRES...
LA DERNIÈRE FOIS QUE JE L'AI EMMENÉE AU CINÉMA, J'AI DÛ LA RÉVEILLER PARCE QU'ELLE BAVAIT SUR MON POPCORN !
C'ÉTAIT PENDANT HULK VS TRANSFORMERS...
POURTANT CE FILM EST SUPER !
JE SAIS !

TIENS, AUTRE CHOSE, À NOËL JE LUI OFFRE UN BOUQUIN GÉNIAL : COMMENT JE SUIS DEVENU MILLIONNAIRE ...
ELLE ME DIT : « JE VAIS PAS ME TAPER CETTE BRIQUE ALORS QU'IL N'Y A QU'À ATTENDRE L'HÉRITAGE ! »
HÉ ! J'AI LU CE LIVRE. J'AI ADORÉ !
TU LIS BEAUCOUP ?

PAS MAL. LÀ, JE LIS DÉFENDRE L'INDÉFENDABLE (ET S'EN METTRE PLEIN LES POCHES), C'EST SUR LE MÉTIER D'AVOCAT.
C'EST FOU QUE TU DISES ÇA ! JE VEUX DEVENIR AVOCAT !
MOI AUSSI. JE RÊVE D'OUVRIR MON PROPRE CABINET.

228

BON ALLEZ, J'ARRÊTE DE T'EMBÊTER. JE RETOURNE ÉCOUTER CHEESY FACTORY...
WOW, JE...
JE TE VOYAIS PAS COMME ÇA !

TU VOIS QUE TU N'AS PAS ÉTÉ TROP DUR.
AH OUAIS, T'AS RAISON.

Delaf-Dubuc

WILLY S'EST ENDORMI SUPER VITE. T'AS EU UNE BONNE IDÉE DE LUI AMENER DU LAIT. MERCI !
BAH, DE RIEN.

J'AVAIS PAS ENVIE D'ÊTRE SEULE, CE SOIR, POUR GARDER MON PETIT FRÈRE.
HEUREUSEMENT QUE SUPER BOUCHE-TROU PASSAIT PAR LÀ !

♪ SUPER BOUCHE-TROOOU !... LE PLUS GRAND DES BOUCHE-TROOOOUS ! ♪
HI HI ! T'ES BÊTE !

J'AIME VRAIMENT BEAUCOUP PASSER DU TEMPS AVEC TOI, HUGO.
TU ME FAIS DU BIEN.
TU ME FAIS DU BIEN AUSSI, JENNY.

TU SAIS, EN APPRENANT À TE CONNAÎTRE, JE ME RENDS COMPTE QUE TU ES BEAUCOUP PLUS QUE CETTE JOLIE FILLE QUI M'ATTIRAIT TANT.
TU ES UNE VRAIE BATTANTE. UNE FILLE INCROYABLEMENT FORTE.
JE NE TE VOIS PLUS DE LA MÊME FAÇON.

TU NE ME TROUVES PLUS JOLIE ?
AU CONTRAIRE ! TU N'EN ES QUE PLUS BELLE.

WOW. JEAN-FRANKY NE M'A JAMAIS PARLÉ COMME ÇA.
C'EST DOMMAGE CAR TU LE MÉRITES.

MAIS, EUH... JENNY...
OUI ?
TU NE ME TROUVES PLUS TROP MOCHE POUR TOI ?...

229

AH OUAIS, ZUT ! T'AS RAISON, J'AVAIS COMPLÈTEMENT OUBLIÉ !
MON DIEU, QU'EST-CE QUE J'ALLAIS FAIRE LÀ ?!

MERCI DE M'AVOIR RAMENÉE SUR TERRE. ALLEZ, RENTRE CHEZ TOI, ÇA VAUT MIEUX.
!

♪ SUPER CONNAAARD... LE PLUS GRAND DES CONNAAARDS... ♪

Delaf-Dubuc

T'ES SÛRE QUE T'AS ENVIE QU'ON LE FASSE ?
OUI, JE SUIS SÛRE.

POURTANT, TON LANGAGE CORPOREL ME DIT LE CONTRAIRE...
C'EST PAS ÇA... C'EST JUSTE QU'IL Y A UNE CHOSE DONT J'AIMERAIS QU'ON PARLE AVANT.
JE T'ÉCOUTE.

C'EST TOUT BÊTE, MAIS... TU NE M'AS JAMAIS DIT "JE T'AIME"...
BEN... TOI NON PLUS, TU SAIS.
J'ATTENDAIS QUE TU LE DISES EN PREMIER.

VRAIMENT ? CE SERAIT PAS PLUTÔT PARCE QUE TES SENTIMENTS POUR MOI SONT CONFUS ?
QU'EST-CE QUI TE FAIT CROIRE ÇA ?
TROIS LETTRES, ÇA COMMENCE PAR "D" ET ÇA FINIT PAR "AN".

DAN ? TU PENSES QUE JE L'AIME ENCORE ?
NON. JE SAIS QUE TU L'AIMES ENCORE. NUANCE.
ÉCOUTE, JE SAIS QUE TU PEUX VOIR CLAIR DANS LES GENS, MAIS LÀ, TU TE TROMPES.
DÉSOLÉ, MAIS JE NE ME TROMPE JAMAIS.

BON, O.K... IL M'ARRIVE ENCORE DE PENSER À LUI, MAIS JE T'ASSURE QUE...
T'EN FAIS PAS, KARINE. JE L'ACCEPTE.
DAN A ÉTÉ LE PREMIER À VOIR LA FILLE MERVEILLEUSE QUE TU ES. TU PEUX PAS L'OUBLIER SI FACILEMENT.

MAIS SI TU L'AS TANT AIMÉ, C'EST PARCE QU'IL TE PERMETTAIT ENFIN DE T'AIMER TOI-MÊME À TRAVERS SON REGARD.
ES-TU EN TRAIN DE ME DIRE QUE MES SENTIMENTS POUR LUI ÉTAIENT ÉGOÏSTES ?

L'AMOUR EST UN CONCEPT GALVAUDÉ QUI SERT À SE DONNER BONNE CONSCIENCE.
L'ÊTRE HUMAIN NE PENSE QU'À SON NOMBRIL. S'IL AIME, C'EST PARCE QU'IL Y GAGNE.
BONJOUR LE ROMANTISME !

ET QU'EST-CE QU'ON Y GAGNE, TOI ET MOI ?
TOI, TU ATTENDS DE MOI QUE JE T'AIDE À ALLER DE L'AVANT, QUE JE T'EMPÊCHE DE RETOMBER DANS LES PIÈGES DU PASSÉ.

ET MOI, JE ME SENS UTILE. CAR JE VOIS LA PERSONNE EXTRAORDINAIRE QUE TU DEVIENS ET J'AI LE SENTIMENT D'Y ÊTRE POUR QUELQUE CHOSE. TU DONNES UN SENS À MA VIE.

230

C'EST BEAU ET TRISTE À LA FOIS.
MAIS C'EST LA VÉRITÉ, ET C'EST CE QUI COMPTE.

ALORS, ON LE FAIT OU PAS ?
SI VRAIMENT TU ES PRÊTE À LE FAIRE, C'EST PAS MOI QUI VAIS DIRE NON...

... FAIRE LE MÉNAGE À DEUX, C'EST TELLEMENT PLUS AGRÉABLE !

Delaf-Dubuc

JAMES ? MAIS... QU'EST-CE QUE TU VEUX ?
AH, SALUT REB. JE... HUM. D'ABORD J'AIMERAIS M'EXCUSER POUR L'AUTRE JOUR...
DONNE-MOI UNE MINUTE, O.K. ?

J'AI VU QUE JAMES T'ATTEND IMPATIEMMENT...
JE LE LAISSE MARINER UN PEU. JE VOUDRAIS PAS QU'IL ME PRENNE POUR UNE FILLE FACILE.
DE QUOI J'AI L'AIR ?

TU AS L'AIR D'UNE FILLE QUI FAIT LA FIERTÉ DE SES PARENTS ET QUI VA SE FAIRE OFFRIR...
... CECI.

LE PENDENTIF DE GRAND-MAMAN ?!
ELLE ME L'A OFFERT LE JOUR OÙ TON PÈRE M'A FAIT SA GRANDE DÉCLARATION. ELLE-MÊME L'AVAIT REÇU DE SA MÈRE QUAND ELLE A ÉPOUSÉ LE BARON.

ELLE AURAIT PU L'OFFRIR À MA SOEUR, MAIS C'EST À MON COU QU'ELLE L'A ACCROCHÉ EN ME CHUCHOTANT À L'OREILLE QUE J'ÉTAIS SA PRÉFÉRÉE.
CE SOIR, C'EST À MON TOUR DE PERPÉTUER LA TRADITION.

OH, MAMAN !
REBECCA, NE FAIS PAS ATTENDRE JAMES TROP LONGTEMPS.

BON, ÇA VA, J'ACCEPTE TES EXCUSES.
OH ! JE SUIS SI SOULAGÉ !

J'AVAIS PEUR QUE TU NE ME PARDONNES JAMAIS D'AVOIR REFUSÉ DE SORTIR AVEC TOI.

REBECCA, TU PEUX M'EXPLIQUER ?
Y A RIEN À EXPLIQUER ! C'EST QU'UN GROS CONNARD AVEC DES GOÛTS DE CHIOTTE, C'EST TOUT !
TU PEUX LES GARDER, TES FLEURS, J'EN AI RIEN À SECOUER !

MAIS LES FLEURS NE SONT PAS POUR TOI...
DÉSOLÉE DE T'AVOIR FAIT ATTENDRE, JAMES.
OH, DES FLEURS ! IL FALLAIT PAS !

231

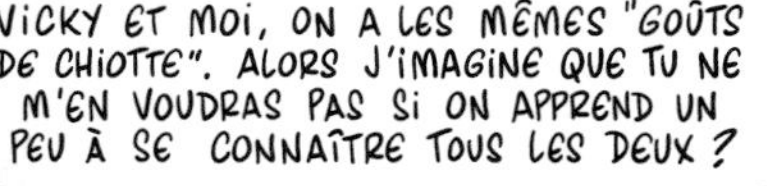

VICKY ET MOI, ON A LES MÊMES "GOÛTS DE CHIOTTE". ALORS J'IMAGINE QUE TU NE M'EN VOUDRAS PAS SI ON APPREND UN PEU À SE CONNAÎTRE TOUS LES DEUX ?

PETITE GARCE ! JE VAIS TE TUER !

OH, J'AI OUBLIÉ DE VOUS DEMANDER UNE PERMISSION SPÉCIALE POUR SORTIR.
VA, MA CHÉRIE, VA !
MAIS DE QUELLE PUNITION TU PARLES ?!

QUEL FILM TU VEUX ALLER VOIR, CE SOIR ?
BAH... ON POURRAIT S'ACHETER DU POP-CORN ET REVENIR VOIR LA FIN DE CETTE REPRÉSENTATION...
RENDS-MOI MON PENDENTIF OU JE TE DÉSHÉRITE !
JAMAIS !

Delaf-Dubuc

KARINE DONNE UN CONCERT, CE SOIR. JE ME DISAIS QU'ON POURRAIT PEUT-ÊTRE Y ALLER ENSEMBLE. ÇA FAIT SI LONGTEMPS QU'ON S'EST PAS VUES !

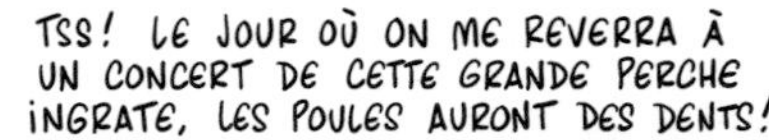
TSS ! LE JOUR OÙ ON ME REVERRA À UN CONCERT DE CETTE GRANDE PERCHE INGRATE, LES POULES AURONT DES DENTS !

DOMMAGE, J'AURAIS BIEN AIMÉ ...
TU ME DÉRANGES, LÀ, JENNY. CIAO !

CLC !
QU'EST-CE QU'ON DISAIT DÉJÀ ?
JE DISAIS QUE J'AI BEAUCOUP AIMÉ CETTE SOIRÉE EN TA COMPAGNIE.

MOI AUSSI. POUR ÊTRE FRANCHE, JE CROIS QUE JE VIS LA PLUS BELLE JOURNÉE DE MA VIE.
ON POURRAIT SE VOIR PLUS SOUVENT, QU'EST-CE QUE TU EN DIS ?
J'ADORERAIS.

ÇA VA ? TU ES TOUTE ROUGE.
OUI, OUI, J'AI... J'AI JUSTE LE CŒUR QUI B-B-BAT UN PEU VITE...

LE BÉGAIEMENT, LES JOUES QUI ROUGISSENT, LE CŒUR QUI BAT LA CHAMADE...
CE SONT LES SYMPTÔMES DE L'AMOUR. SI UN JOUR TU LES RESSENS, VIENS ME VOIR : ÇA VOUDRA DIRE QUE TU AS UN CŒUR !

232

DIS, LA SOIRÉE EST ENCORE JEUNE... T'AS ENVIE DE MONTER UN PEU ? ON POURRAIT ÉCOUTER DE LA MUSIQUE...
TU M'EN VEUX SI JE TE FAUSSE COMPAGNIE ? IL Y A UNE COPINE QU'IL FAUDRAIT QUE JE VOIE...

REGARDE ÇA, J'Y CROIS PAS...
« APRÈS UNE TRANSPLANTATION DE CELLULES SOUCHES, DES CHERCHEURS AURAIENT RÉUSSI À FAIRE POUSSER DES DENTS AUX POULES »...
?
Delaf-Dubuc

café-concert
Ce soir:
Albin et les Albinos

♫ JE NE SUIS PLUS UNE VICTIME... ♪
♫ J'EN SUIS SORTI VAINQUEUR. ♫

♫ ET MAINTENANT J'AI ENVIE... ♪
♪ ... DE FAIRE UN MONDE MEILLEUR. ♫

MERCI !

ALLEZ ! SIGNONS CES SATANÉS CONTRATS !
YESSS !
CONTRAT

EH, KARINE !
VICKY ?!

QU'EST-CE QUE TU FAIS LÀ ? T'ES VENUE SEULE ?
NON, JENNY EST AU PETIT COIN... JE L'AI CONVAINCUE DE VENIR TE VOIR, CE SOIR.
MAIS... JE CROYAIS QUE TU N'OSAIS PLUS M'APPROCHER À CAUSE DES MENACES D'ALBIN.

COMMENT AS-TU TROUVÉ LE COURAGE DE BRAVER SON INTERDICTION ?
L'AMOUR, KARINE ! ÇA VIENT DE ME TOMBER DESSUS, LÀ, CE SOIR ! TU AVAIS RAISON, J'AVAIS JAMAIS ÉPROUVÉ ÇA DE MA VIE !

ET... JE REFUSE QUE CE BONHEUR SOIT GÂCHÉ PAR UNE DISPUTE ENTRE NOUS.
JE VEUX FAIRE LA PAIX AVEC TOI, MAIS AUSSI AVEC ALBIN. SI C'EST LUI QUE TU AIMES, JE DOIS L'ACCEPTER.
233-A

OH, VICKY ! VIENS LÀ !

JE SAVAIS QUE TU FINIRAIS PAR ADMETTRE QUE TU AVAIS INVENTÉ CETTE HISTOIRE.
AH, MAIS NON : ALBIN M'A RÉELLEMENT MENACÉE. JE MAINTIENS MA VERSION.

VICKY, TU VAS PAS RECOMMENCER !
JE TE JURE ! IL A MENACÉ DE ME TUER PARCE QUE J'AI FAIT FOIRER VOTRE CONTRAT DE DISQUE.
RIDICULE ! ALBIN N'EST PAS UN MEURTRIER.

NON, MAIS SI ELLE ESSAIE D'EN FAIRE FOIRER UN DEUXIÈME, JE POURRAIS ME LAISSER TENTER ...

BON, BON... VOICI CE QUE JE PROPOSE : TU AVOUES À KARINE QUE TU M'AS MENACÉE ET JE TE PARDONNE.
EH BIEN, J'AI PEUR QUE CE SOIT MA PAROLE CONTRE LA TIENNE.

HA ! J'EN REVIENS PAS ! ESPÈCE DE MENTEUR !
DIRE QUE J'AI CRU QUE TU VOULAIS QU'ON FASSE LA PAIX. EN FAIT, C'ÉTAIT QU'UNE AUTRE DE TES TACTIQUES !

OUVRE LES YEUX, KARINE ! IL DÉCIDE À TA PLACE DE QUI A LE DROIT DE FAIRE PARTIE DE TA VIE. TU PEUX PAS AIMER UN SALOPARD PAREIL !
J'AI PAS DE CONSEIL À RECEVOIR D'UNE FILLE QUI CONNAÎT L'AMOUR DEPUIS 5 MINUTES !
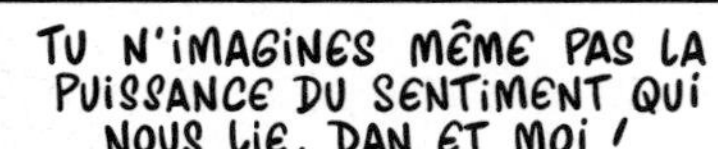
TU N'IMAGINES MÊME PAS LA PUISSANCE DU SENTIMENT QUI NOUS LIE, DAN ET MOI !

WOUAH ! PLUTÔT RÉVÉLATEUR, COMME LAPSUS !
QUOI ? QU'EST-CE QUE J'AI... OUPS !
J'EN ÉTAIS SÛRE : TU ES TOUJOURS AMOUREUSE DE TON POUILLEUX !

BON, ÉCOUTEZ... JE CONSTATE QUE VOTRE COUPLE EST MOINS SOLIDE QUE JE LE PENSAIS. CE GROUPE RISQUE D'IMPLOSER À TOUT MOMENT...
QUOI ?!
JE PRÉFÈRE ME RETIRER.

BIEN SÛR, ADVENANT UNE SÉPARATION, VOUS POURRIEZ REMPLACER KARINE, MAIS JE CROIS QU'ELLE EST ESSENTIELLE À L'IDENTITÉ DU GROUPE.
ATTENDEZ, C'EST PAS CE QUE VOUS CROYEZ : ELLE ET MOI, C'EST DU SOLIDE !

DÉSOLÉ, LES TEMPS SONT DURS. JE NE PEUX PAS PRENDRE CE RISQUE. MAIS BONNE CHANCE À VOUS !
ALLEZ, JE VOUS LAISSE AUSSI. CIAO, LES AMOUREUX !
SCRIIITCH

ALBIN, JE SUIS DÉSOLÉE. TU VEUX QU'ON EN PARLE ?
PAS MAINTENANT. RENTRE, ON SE VERRA PLUS TARD.

HIII ! KARINE ! C'EST TROP COOL D'AVOIR UNE COPINE VEDETTE !
JE VIENS DE CHIPER UN CD DE VOTRE DÉMO AU KIOSQUE SOUVENIR. TU ME LE SIGNES ?

C'EST PAS LE MOMENT, JENNY.

QUOI, ME DIS PAS QUE T'AS DÉJÀ PRIS LA GROSSE TÊTE !
Delaf - Dubuc

MAIS POURQUOI VICKY DIRAIT QU'ALBIN L'A MENACÉE SI C'EST PAS VRAI ?
POUR QUE JE PENSE QU'ALBIN EST UN FOU FURIEUX ET QUE JE ROMPE AVEC LUI.

ELLE DIT PEUT-ÊTRE LA VÉRITÉ. RAPPELLE-TOI L'HISTOIRE DU DÉMON BLANC QUI A TUÉ 19 ENFANTS POUR "FAIRE UN MONDE MEILLEUR"...
TU VAS PAS ME RESSORTIR ÇA !
ALBIN N'A TUÉ PERSONNE. ET EN PLUS, CETTE PHRASE N'EST PAS DE LUI.

SI, ELLE EST DE LUI, C'EST ÉCRIT LÀ ! FAIRE UN MONDE MEILLEUR : PAROLES D'ALBIN.
JENNYYYY...

ALBIN EST LE DÉMON BLANC. ET SI ÇA SE TROUVE, CE CD EST POSSÉDÉ PAR SATAN !!!
Hiiiiiii !

VITE, KARINE ! IL N'Y A QU'UNE CHOSE À FAIRE : DE L'EXERCICE !
DE L'EXERCICE ?!
MAIS OUI, POUR CHASSER LE DÉMON, TU SAIS...
UNE DEUX, UNE DEUX, UNE DEUX ...

ON DIT "EXORCISME", JENNY. ET ARRÊTE AVEC ÇA, ALBIN N'EST COUPABLE DE RIEN, IL A ÉTÉ BLANCHI.
PFT ! ÇA VEUT RIEN DIRE ! N'IMPORTE QUI PEUT CHANGER DE COULEUR !
KARINE ?

MÉLANIE ?... EUH... COMMENT ÇA VA ?
MIEUX, MERCI, JE REMONTE LA PENTE.

JE... J'AURAIS VOULU PASSER TE VOIR À L'HÔPITAL, MAIS J'AI ÉTÉ DÉBORDÉE...
ÇA VA, T'EN FAIS PAS.
HÉ HO ! C'EST MÉLANIE !! ARRÊTE D'ÊTRE GENTILLE ET DÉFONCE-LUI SA GUEULE !

JENNY, ARRÊTE ! C'EST MOI QUI AI ÉTÉ ODIEUSE AVEC MÉLANIE. À CAUSE DE MOI, ELLE S'EST JETÉE DU PONT.
AH OUAIS, C'EST VRAI.
EUH... ALORS, L'EAU ÉTAIT BONNE ?

EN FAIT, J'AI PAS TENTÉ DE ME SUICIDER. QUELQU'UN M'A POUSSÉE.
QUOI ?!

234

MAIS... QUI AURAIT PU FAIRE UNE CHOSE PAREILLE ?
J'AI PAS VU SON VISAGE. ALORS POUR L'INSTANT, LA POLICE PATAUGE ENCORE.
LA POLICE S'EST JETÉE DU PONT AUSSI ?!

TOUT CE QUE JE SAIS, C'EST QU'IL PRÉTENDAIT M'ÉLIMINER POUR "FAIRE UN MONDE MEILLEUR".

Hiiiiiiiiiii !

VIENS, KARINE, IL FAUT FAIRE DE L'EXORCISME !
ON S'APPELLE, ON DÉJEUNE...
UNE DEUX, UNE DEUX, UNE ...

Delaf - Dubuc

QUOI ?!

ET VOUS ÊTES SÛRES QUE MÉLANIE DIT LA VÉRITÉ ?
JE NE VOIS AUCUNE RAISON D'EN DOUTER.
C'EST IMPOSSIBLE, JE CONNAIS ALBIN, IL N'AURAIT PAS PU LA POUSSER DU PONT DE SANG-FROID.

OÙ EST-IL, D'AILLEURS ? JE CROYAIS QU'IL ÉTAIT AVEC VOUS.
APRÈS LE CONCERT, IL A EU ENVIE DE PRENDRE L'AIR. ON S'EST CHARGÉS DE RAMENER LE MATÉRIEL.
RESTONS CALMES, JE L'APPELLE.

T'AS RAISON, RESTONS CALMES. ALBIN N'Y EST SANS DOUTE POUR RIEN.
APRÈS TOUT, "FAIRE UN MONDE MEILLEUR", C'EST LA PHRASE DES DEUX GARÇONS QUI ONT VOULU LUI FAIRE PORTER LE CHAPEAU À LA CLASSE DE NEIGE...
T-T-T ! C'EST PAS CE QUI EST ÉCRIT SUR LE CD...

ÇA POURRAIT ÊTRE EUX QUI ONT POUSSÉ MÉLANIE... C'EST TORDU, MAIS PEUT-ÊTRE QU'ILS VEULENT À NOUVEAU FAIRE PASSER ALBIN POUR UN TUEUR...

IMPOSSIBLE, KARINE. ILS SONT MORTS IL Y A DEUX ANS.

ILS AURAIENT CONCLU UN PACTE DE SUICIDE.
APPAREMMENT, ILS NE SUPPORTAIENT PAS DE VIVRE AVEC LEUR GESTE SUR LA CONSCIENCE.
MERDE !
PAUVRE KARINE ! ÇA DOIT ÊTRE DUR DE RÉALISER QUE SON COPAIN EST UN DÉMON SORTI DES ENFERS !

ALBIN NE RÉPOND PAS.
J'AIME PAS ÇA, LES GARS ! VICKY DIT QU'ALBIN L'A MENACÉE. ET LÀ, PERSONNE SAIT OÙ EST ALBIN ET VICKY NE RÉPOND PAS NON PLUS.
NE PANIQUONS PAS. IL Y A UNE EXPLICATION, C'EST CERTAIN.

ON DIRAIT QUE VOUS FAITES EXPRÈS DE PAS COMPRENDRE : ALBIN EST PARTI TUER VICKY, C'EST ÉVID...
RAAH ! FERME-LA, JENNY !

C'EST BIZARRE QU'ALBIN RÉPONDE PAS... PEUT-ÊTRE QUE SON PORTABLE EST RESTÉ DANS SON SAC...
IL EST JUSTE LÀ, JE VAIS VOIR.
PFT ! POUR UNE FOIS QUE JE COMPRENDS AVANT TOUT LE MONDE ! PERSONNE VEUT M'ÉCOUTER.

235 A

SON TÉLÉPHONE N'Y EST PAS.
PAR CONTRE, IL Y A CECI...

OH MERDE.
QUOI ? QUOI ??

QU'EST-CE QUE C'EST QUE ÇA ?!

QUI SONT TOUS CES GENS ?
JE NE LES CONNAIS PAS TOUS, MAIS CEUX QUE JE CONNAIS SONT DE BEAUX SALOPARDS.

ET CES DEUX-LÀ, CE SONT LES BOURREAUX D'ALBIN, CEUX QUI ONT FAIT CRAMER LA CLASSE DE NEIGE.

MAIS QU'ONT-ILS EN COMMUN ? ET POURQUOI AVOIR DESSINÉ LE LOGO DES ALBINOS SUR LEURS PHOTOS ?

JE PEUX TENTER UNE EXPLICATION, MAIS ELLE ME DONNE LA CHAIR DE POULE...

CE SIGLE, ALBIN ET MOI L'AVONS CRÉÉ À LA FORMATION DU GROUPE.
C'EST NOTRE IDENTITÉ SYMBOLIQUE, NOTRE SIGNATURE.
ALBIN.
VINKO.
MALADE !!!

LE A POUR ALBINOS ET LE V POUR NE JAMAIS OUBLIER CE QUE NOUS AVONS ÉTÉ : DES VICTIMES. MAIS AUSSI POUR SYMBOLISER LE FAIT QUE NOUS NOUS EN SOMMES SORTIS AVEC LA VICTOIRE.
C'EST TROP UN LOGO DE FOU !
OUAIS.

NOTRE OBJECTIF ÉTAIT D'ÉCRIRE DES CHANSONS QUI DÉNONCENT LES INTIMIDATEURS. ON SE DISAIT QUE SI NOUS ARRIVIONS À EN FAIRE RÉFLÉCHIR UN SEUL, NOTRE MISSION SERAIT ATTEINTE : NOUS AURIONS FAIT UN MONDE MEILLEUR.
VODKA ?
VOLONTIERS !

MAIS APPAREMMENT, POUR ALBIN LA PAROLE N'ÉTAIT PLUS SUFFISANTE. LE V POUR VICTOIRE S'EST TRANSFORMÉ EN V POUR VENGEANCE...
BREF, TU VEUX NOUS DIRE QUE TOUS CES GENS SONT MORTS.
PAS MÉLANIE, EN TOUT CAS.
RATÉ

ARGH ! MÉLANIE A ÉTÉ POUSSÉE DU PONT ET...
...ET LES DEUX BOURREAUX ONT ÉTÉ REPÊCHÉS DANS LE FLEUVE !
IL JETTE SES VICTIMES DU PONT POUR LAISSER CROIRE À DES SUICIDES.

MEEEERDE ! ALBIN EST UN MEURTRIER.
ALLÔÔÔÔ ! J'ARRÊTE PAS DE LE DIRE !
235B

OH SHIT !
QUOI, ENCORE ?!

OH NON ! SA PROCHAINE VICTIME EST VICKY !

AH HA !
JE SAVAIS ! JE SAVAIS !
WOOUH !
Delaf-Dubuc

IL EST TOUT HABILLÉ DE BLANC...
ENVOYEZ UNE PATROUILLE SUR LE VIEUX PONT FERROVIAIRE. TROIS DE SES VICTIMES ONT DÉJÀ ÉTÉ JETÉES DE LÀ.

BON, LA POLICE CONFIRME QU'ILS ENVOIENT UNE VOITURE SUR LE PONT. LES GARS, ALLEZ VOIR AU CENTRE - VILLE, ON SAIT JAMAIS.
ON EST PARTIS !
MOI JE PRENDS LE VAN ET JE FONCE EN DIRECTION DE CHEZ VICKY. SI ELLE EST RENTRÉE À PIED APRÈS LE CONCERT, ELLE EST PEUT-ÊTRE ENCORE EN CHEMIN.

T'AS BIEN NOTÉ L'ADRESSE ?
OUI, C'EST BON. RESTE ICI AVEC JENNY. SI TU AS DES NOUVELLES, TU M'APPELLES.
COMPTE SUR MOI !

ALLEEEZ, VICKY ! SI TU RÉPONDS PAS À MES APPELS, AU MOINS, LIS MON TEXTO !
TIP TIP TIP ...
HIiii ! C'EST PALPITANT !

DZZZ !

RAAH ! ENCORE ELLE ! ELLE A PAS COMPRIS QUE JE VEUX QU'ELLE ME FOUTE LA PAIX !

« TU AVAIS RAISON À PROPOS D'ALBIN... »
BON, QUAND MÊME ! ELLE FINIT PAR L'ADMETTRE...

236

22:53
Karine
Tu avais raison à propos d'Albin. Il est dangereux, je crois qu'il veut te tuer. C'est pas une blague. Rappelle-moi au plus vite !!!

PFT ! J'AI JAMAIS RIEN COMPRIS À L'HUMOUR DES MOCHES..
C'EST TELLEMENT...

HELLO, VICKY.
...PREMIER DEGRÉ...

Delaf-Dubuc

ALBIN ? TU... TU ME SUIS DEPUIS LA SALLE DE CONCERT ?
JE T'OBSERVAIS DE LOIN. EN RÉFLÉCHISSANT ...
GLPS...

EN RÉFLÉCHISSANT À QUOI ? À LA FAÇON DE ME TUER ?
HAHA. TE TUER ? POURQUOI JE FERAIS ÇA ?

À PART AVOIR BRAVÉ MON ORDRE DE TE TENIR LOIN DE KARINE ET AVOIR À NOUVEAU FAIT FOIRER NOTRE CONTRAT, JE VOIS PAS CE QUE TU AS FAIT...

M'APPROCHE PAS !
QU'EST-CE QUI SE PASSE ? TU AVAIS L'AIR PLUS BRAVE QUE ÇA TOUT À L'HEURE...

À L'AiiiiiDE !
EH ! REVIENS ICI !

VICKY ?

REVIENS. JE NE TE FERAI PAS DE MAL.

JE VEUX JUSTE TE PARLER...
237A

AU SECOOOOOURS !

OÙ ALLAIS-TU COMME ÇA ? JE T'AI DIT DE REVENIR... TU AS VRAIMENT DU MAL AVEC L'AUTORITÉ, TOI !

Delaf-Dubuc

PITIÉ, ALBIN! JE SUIS HEUREUSE POUR LA PREMIÈRE FOIS DE MA VIE! JE VEUX PAS MOURIR MAINTENANT!
MAIS ARRÊTE DE HURLER UNE MINUTE! ...

TU VAS ALERTER TOUT LE QUARTHUMPF!
POK

TOI ?! MAIS... QU'EST-CE QUE...
AIDE-MOI À L'ATTACHER, JE T'EXPLIQUERAI APRÈS.

ÇA Y EST, IL REVIENT À LUI.

VINKO ? QUE SE PASSE-T-IL ? POURQUOI JE SUIS ATTACHÉ ?
TU T'EN VAS EN PRISON, MON BEAU. ALORS, IMPATIENT D'Y RENCONTRER D'AUTRES PSYCHOPATHES DANS TON GENRE ?

VICKY, JE... C'EST UN MALENTENDU.
JE VOULAIS JUSTE METTRE LA BISBILLE ENTRE TOI ET KARINE. JE SAVAIS QUE TU ALLAIS LUI DIRE QUE JE T'AVAIS MENACÉE ET QU'ELLE NE TE CROIRAIT PAS.
BEN BRAVO, ÇA A MARCHÉ !

ÉCOUTE, J'AI COMPRIS BEAUCOUP DE CHOSES, CE SOIR. T'ÉCARTER DE LA VIE DE KARINE ÉTAIT UNE ERREUR. VOTRE LIEN EST PLUS FORT QUE JE NE VOULAIS LE CROIRE.
...ET APPAREMMENT, SON LIEN AVEC DAN AUSSI.

JE T'AI SUIVIE, C'EST VRAI, MAIS PAS POUR TE TUER, POUR TE FAIRE DES EXCUSES.
C'EST ÇA ! TU T'EXCUSERAS AUSSI À MÉLANIE DE L'AVOIR POUSSÉE DU PONT !
237 B

MÉLANIE ?! ELLE A TENTÉ DE SE SUICIDER.
ALORS DISONS QUE TU L'AS UN PEU AIDÉE...
QUOI ? POURQUOI J'AURAIS FAIT ÇA ?

JE SAIS PAS. PEUT-ÊTRE POUR « FAIRE UN MONDE MEILLEUR », QU'EST-CE QUE T'EN DIS ?
!

VINKO, NON !
DIS-MOI QUE CE N'EST PAS CE QUE JE CROIS...

Delaf-Dubuc

EH, VINKO... TU NOUS EMMÈNES OÙ, LÀ ?

AU TERMINUS.

QUEL IDIOT ! COMMENT J'AI PU NE RIEN VOIR TOUTES CES ANNÉES ?
MON MEILLEUR COPAIN EST UN FIN MANIPULATEUR. JE LUI AI PIQUÉ QUELQUES TRUCS.
VINKO, QU'EST-CE QUE ÇA VEUT DIRE ?

TU COMPRENDS TOUJOURS PAS ? C'EST LUI QUI A POUSSÉ MÉLANIE. ET PROBABLEMENT PLUSIEURS AUTRES, D'AILLEURS.
13 EN TOUT.
HOP ! VIENS ICI, TOI !
EH !

MAIS IL A MERDÉ. MÉLANIE A SURVÉCU ET ELLE A PARLÉ.
MAINTENANT, TROP DE GENS SAVENT QUE CELUI QUI A VOULU LA TUER VOULAIT « FAIRE UN MONDE MEILLEUR »...

CETTE PHRASE M'INCRIMINE, C'EST UNE QUESTION DE TEMPS AVANT QUE LA POLICE REMONTE JUSQU'À MOI.
ET LORSQUE JE SERAI DISCULPÉ, ELLE REMONTERA JUSQU'À VINKO.
TON TALENT POUR LA DÉDUCTION M'AURA TOUJOURS ÉPATÉ.

ALORS LAISSE-MOI DÉDUIRE LA SUITE DU PROGRAMME : TU JETTES VICKY À L'EAU, PUIS TU ME TUES, ET TU ME COLLES SON MEURTRE SUR LE DOS AINSI QUE CELUI DES 12 AUTRES.
13.
AH, OUI, PARDON.

TU PLAIDES ENSUITE LA LÉGITIME DÉFENSE : TU AS VOULU M'ATTRAPER, JE ME SUIS DÉBATTU, ET TU M'AS ACCIDENTELLEMENT BRISÉ LE COU.
EN FAIT, JE PENSAIS PLUTÔT TE POIGNARDER. J'AI APPORTÉ UN COUTEAU À TOI.
AH OUAIS, BIEN PENSÉ.

EN TOUT CAS BRAVO. TON PLAN EST PARFAIT.
MERCI.
MOI JE TROUVE PAS. IL Y A UNE COUILLE.
AH BON ? LAQUELLE ?

CELLE-LÀ !
HOUFF !

238 A

ATTENDS, JE VAIS TE SORTIR DE LÀ...

RAAH ! C'EST TROP SERRÉ...
ATTEN...

PAF !
...TION

J'AI TOUJOURS RÊVÉ DE VOIR VICKY MORDRE LA POUSSIÈRE MAIS, JE SAIS PAS POURQUOI, C'ÉTAIT MIEUX DANS MA TÊTE...

C'EST DONC ICI QUE CETTE LONGUE AMITIÉ S'ACHÈVE.
JE SUIS DÉSOLÉ, CROIS-MOI. J'AI PAS LE CHOIX.
ALBINO

BEN EN FAIT, SI. T'AS UN AUTRE CHOIX : TE LIVRER.
ET NOTRE MISSION ? QUELQU'UN DOIT BIEN S'OCCUPER DE LE FAIRE, CE MONDE MEILLEUR.
MERDE, VINKO ! QU'EST-CE QUI A BIEN PU SE PASSER DANS TA TÊTE ?!

JE T'EN AI JAMAIS PARLÉ, MAIS LE SOIR DE L'INCENDIE À LA CLASSE DE NEIGE, J'AURAIS PU INTERVENIR.

J'AI ENTENDU CE QUI SE TRAMAIT.
VIENS, ON VA METTRE ÇA DANS LE LIT D'ALAIN.
HIN HIN HIN !
MAIS ILS VONT FAIRE TOUT CRAMER !

J'AI TENTÉ DE LES RAISONNER...
EH, C'EST DANGE-REUX, LES GARS !
QU'EST-CE T'AS ? T'EN VEUX DANS TON SLIP, BINGO ?
"BINGO" ! HIN HIN HIN !

... MAIS J'AI EU PEUR.
TU VEUX QU'ON TE RÉCHAUFFE, ALAIN ?
HIN ! HIN !
!
À CAUSE DE MOI, 19 INNOCENTS SONT MORTS.

DEPUIS LE JOUR OÙ J'AI VU MON VISAGE DÉFIGURÉ PAR MA LÂCHETÉ, JE ME SUIS JURÉ DE NE PLUS JAMAIS LAISSER AGIR LES INTIMIDATEURS.

ET BIEN SÛR, LA SOLUTION, C'EST DE LES ÉLIMINER.
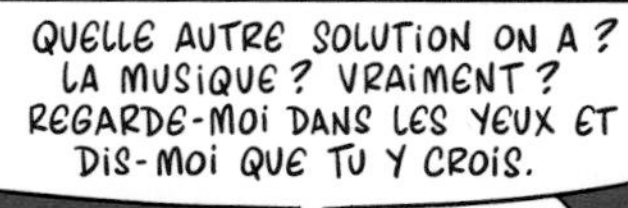
QUELLE AUTRE SOLUTION ON A ? LA MUSIQUE ? VRAIMENT ? REGARDE-MOI DANS LES YEUX ET DIS-MOI QUE TU Y CROIS.

J'Y CROIS.

TU ES BIEN NAÏF.
ALLEZ, CIAO, ALAIN.

TU VAS ME MANQUER, TU SAIS.
AEURRRGH !
238B

ALBINO

C'EST BIEN, IL Y A DU COURANT CE SOIR...

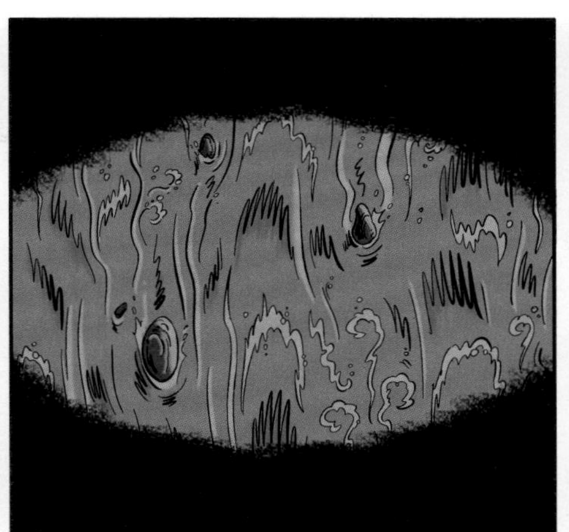

... TU N'AS AUCUNE CHANCE DE SURVIE.

!

NON !!
PAS ÇA, JE T'EN SUPPLIE !
NE GÂCHE PAS TES DERNIÈRES SECONDES EN TE DÉBATTANT INUTILEMENT. DÉTENDS-TOI, PENSE AUX GENS QUE TU AIMES.

OUPS, C'EST VRAI : TU N'AIMES PERSONNE D'AUTRE QUE TOI-MÊME !

HA HA HA HA, HA !

ALLEZ, AU REVOIR, PETITE GARCE ÉGOCENTRIQUE !

238C

POLICE. PLUS UN GESTE.

POLICE
POLICE
POLICE
POLICE
POLICE

VICKY !
MAMAN ?
POLICE

ON A EU SI PEUR, BABY GIRL !
OH NON ! ALBIN...
SI VOUS ÉTIEZ ARRIVÉS IL Y A UNE HEURE, QUAND ON VOUS A PRÉVENUS, TOUT CECI AURAIT PU ÊTRE ÉVITÉ !
MAIS PERSONNE NE NOUS A PRÉVENUS.

ÉVIDEMMENT. VINKO A SEULEMENT FAIT SEMBLANT DE PRÉVENIR LA POLICE. IL NOUS A TOUS BERNÉS. TOUT COMME IL NOUS A BERNÉS EN GLISSANT SON PROPRE ALBUM PHOTO DANS LE SAC D'ALBIN...
SALAUD ! JE SUIS PAS PRÈS DE LUI REMBOURSER SES 400 $ À CELUI-LÀ !

KARINE...
COMMENT VOUS AVEZ DEVINÉ QU'ON ÉTAIT ICI ?

C'EST GRÂCE À JENNY ! ELLE A DONNÉ VOTRE DÉMO À MÉLANIE QUI A RECONNU LA VOIX DE VINKO EN ÉCOUTANT « FAIRE UN MONDE MEILLEUR ».
ELLE M'A IMMÉDIATEMENT PRÉVENUE.
C'EST DINGUE...

238 D

EN UNE SEULE SOIRÉE, TOUTES MES CERTITUDES SE SONT EFFONDRÉES. ET CERISE SUR LE GÂTEAU : JE DOIS LA VIE À JENNY ! JE COMPRENDS PLUS RIEN À RIEN !

T'INQUIÈTE, T'AURAS LE TEMPS DE RÉFLÉCHIR À TOUT ÇA DERRIÈRE LES BARREAUX !

TU CONFONDS, JENNY. ALBIN N'A RIEN À SE REPROCHER.
EUH... JE CROIS QUE C'EST TOI QUI NE COMPRENDS PAS.

JENNYYY... C'EST VINKO QUI VOULAIT FAIRE UN MONDE MEILLEUR.
MAIS NON ! C'EST LA PHRASE D'ALBIN, JE TE DIS...
RAAAH...

LES FILLES, VOUS NE POUVEZ PAS SAVOIR À QUEL POINT JE SUIS CONTENTE D'ÊTRE LÀ, AVEC VOUS DEUX.
OUI, C'EST CERTAINEMENT PLUS AGRÉABLE QUE D'ÊTRE MORTE...

J'AI PENSÉ À VOUS SUR LE PONT. J'AI FERMÉ LES YEUX ET JE ME SUIS DIT : JE REVERRAI PLUS JAMAIS KARINE. NI JENNY. ÇA M'A FENDU LE COEUR.
JE TE COMPRENDS. JE POURRAIS PAS SUPPORTER DE NE PLUS JAMAIS ME VOIR !

PUIS J'AI PENSÉ À L'UNIQUE BAISER ÉCHANGÉ AVEC JAMES. ET J'AI ÉTÉ TRÈS TRISTE DE ME DIRE QUE C'EST TOUT CE QUE J'ALLAIS CONNAÎTRE DE L'AMOUR.

LA VIE NE TIENT PAS À GRAND-CHOSE. IL FAUT DIRE AUX GENS QU'ON AIME QU'ON LES AIME. CHAQUE JOUR QUI PASSE PEUT ÊTRE LA DERNIÈRE OCCASION DE LE FAIRE.
HEIN, MISS LAPSUS ?

C'EST PAS SI SIMPLE, VICKY. DAN EST À NEW YORK. IL A SA VIE. IL VA PAS REVENIR PARCE QUE JE LUI DEMANDE.
SI TU L'AIMES ENCORE, DIS-LUI. N'ATTENDS PAS D'ÊTRE ATTAQUÉE PAR UN PSYCHOPATHE.

JE SAIS PAS. CETTE HISTOIRE A VRAIMENT REMIS ALBIN EN QUESTION. JE SENS QU'IL A BESOIN DE MOI.
ET PUIS IL Y A UN NOUVEAU PRODUCTEUR QUI VEUT SIGNER AVEC NOUS. C'EST SUPER EXCITANT.
WOW ! C'EST CONVAINCANT !

ET TOI, JENNY ? TU ES BIEN SONGEUSE... T'ES PAS HEUREUSE AVEC TON JEAN-FRANKY ?
MMH ?

AH OUAIS, C'EST CLAIR ! NOUS DEUX, C'EST SUPER FORT !

NON, JE... HUM ! JE PENSAIS À UNE DE MES AMIES QUI VIT UNE SITUATION COMPLIQUÉE... IL Y A UN GARS QU'ELLE AIME BIEN. MÊME TRÈS BIEN. MAIS IL EST MOCHE ALORS QU'ELLE, C'EST GENRE... MISS UNIVERS !
C'EST QUI, CETTE AMIE ?
VOUS LA CONNAISSEZ PAS.
MMH. JE VOIS.

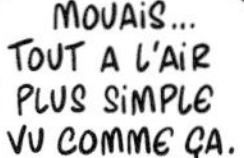

DIS À TON AMIE DE S'IMAGINER QU'IL NE LUI RESTE QU'UNE MINUTE À VIVRE. AVEC QUI VEUT-ELLE LA PASSER ? LE MOCHE SYMPA OU LE BEAU MAÎTRE NAGEUR ?
MOUAIS... TOUT A L'AIR PLUS SIMPLE VU COMME ÇA.
KMPRF !
SAUF QUE LA PAUVRE, ELLE N'A PAS LA CHANCE D'ÊTRE SUR LE POINT DE MOURIR !

239

VOUS SAVEZ QUOI, LES FILLES ?
JE VOUS AIME.

ON T'AIME AUSSI, VICKY.

AU FAIT... COMMENT T'AS SU QUE MON AMIE A UN COPAIN MAÎTRE NAGEUR ?
KMPRF !
KPRR...

C'EST FOU ! MOI QUI ENVIAIS LE BONHEUR DE MES COPINES... LES VOILÀ AUJOURD'HUI COMPLÈTEMENT TOURMENTÉES.
UN BISOU !
UN BISOU !
UN BISOU !
UN BISOU !
KARINE SAIT QU'ELLE DEVRAIT DIRE SES SENTIMENTS À DAN. MAIS POUR ÇA, IL LUI FAUDRAIT RENONCER À SA VIE EXCITANTE AVEC ALBIN.
QUANT À JENNY (OU PLUTÔT LA MYSTÉRIEUSE AMIE DE JENNY), LAISSER JEAN-FRANKY POUR SON MOCHE SYMPA DÉTRUIRAIT SA RÉPUTATION...

FAIRE UN CHOIX, C'EST RENONCER À UN AUTRE. ÇA DEMANDE DU COURAGE. FRANCHEMENT, JE N'AIMERAIS PAS ÊTRE À LEUR PLACE !
WOOOU !
CLAP CLAP CLAP !

POUR MA PART, JE N'AURAIS PU RÊVER MIEUX. J'AI TOUT CE QUE J'AI TOUJOURS VOULU.

MON BONHEUR EST TOTAL.

BON, D'ACCORD, C'EST PAS COMPLÈTEMENT VRAI... IL Y A UNE PETITE OMBRE AU TABLEAU...

TOUT À L'HEURE, À LA PLAGE, J'AI UN PEU MENTI À KARINE ET JENNY...

EN FAIT, SUR LE PONT, QUAND J'AI CRU QUE J'ALLAIS MOURIR, LE BAISER AUQUEL J'AI PENSÉ, CE N'ÉTAIT PAS VRAIMENT CELUI DE JAMES.

240

UN TOAST AUX AMOUREUX !
AUX AMOUREUX !
TING !
TOUT COMPTE FAIT, ÇA NE VA PEUT-ÊTRE PAS SI BIEN QUE ÇA...

Delaf-Dubuc 2013